보틀 디저트

지은이 장은영

커피 내리는 오라버니, 쿠키 굽는 엄마와 함께 '카페장쌤' 홍대점과 일산마두점 두 곳을 운영하고 있다. 카페장쌤에서는 시그니처 메뉴인 다쿠아즈, 파운드케이크, 케이크와 함께 디저트 애호가들의 많은 사랑을 받고 있는 쿠키, 푸딩, 다양한 종류의 구움과자들도 판매하고 있다.

대학 시절부터 베이킹의 매력에 흠뻑 빠져 홍대 인근에서 '아뜰리에 제이'라는 이름으로 베이킹 클래스를 시작했으며, 클래스에서는 장쌤만의 다양한 디저트 레시피를 쉽고 맛있게 만드는 노하우를 취미로 시작하는 분들부터 카페 창업자 분들까지 다양한 분들에게 전수하고 있다.

저서로는 『Dacquoise 다쿠아즈』, 『Pound Cake 파운드케이크』가 있다.

인스타그램	@jangssamcafe
블로그	blog.naver.com/jangssamcom

보틀 디저트

초판 1쇄 인쇄	2022년 9월 1일
초판 1쇄 발행	2022년 9월 20일
지은이	장은영
펴낸이	박윤선
발행처	(주)더테이블
기획·편집	박윤선
교정	박월성
디자인	김보라
사진	김남헌, 박성영
스타일링	이화영
영업·마케팅	김남권, 조용훈, 문성빈
경영지원	손옥희, 김효선
주소	경기도 부천시 조마루로385번길 122 삼보테크노타워 2002호
홈페이지	www.icoxpublish.com
쇼핑몰	www.baek2.kr (백두도서쇼핑몰)
인스타그램	@thetable_book
이메일	thetable_book@naver.com
전화	032) 674-5685
팩스	032) 676-5685
등록	2022년 8월 4일 제 386-2022-000050 호
ISBN	979-11-979887-3-8 (14590)

더 테이블
THE TABLE

보틀 디저트

장쌤
장은영 지음

cafejangssam's best dessert
Bottle Dessert

PROLOGUE

안녕하세요, 장쌤입니다.

『다쿠아즈』와 『파운드케이크』 출간 이후 오랜만에 새 책으로 만나 뵙게 되었어요. 그 사이에 저는 아기 엄마가 되었고요. (세상에!)

이 책에 실린 우유 푸딩은 어른들은 물론이고 지금 17개월이 넘은 제 딸, 봄이도 정말 잘 먹는 디저트라 꼭 소개해드리고 싶었어요. 첨가물 없이 몇 가지 재료만으로 만드는 디저트라 마음 놓고 제철 과일을 듬뿍 얹어 아이들에게 먹이기에도 정말 좋아요.

책을 준비할 때마다 항상 고민하고 중요하게 생각하는 부분은 '실제로 간단하게 만들 수 있고, 누구나 즐길 수 있는 디저트이면 좋겠다.'라는 것이에요. 눈으로만 보는 책이 되지 않았으면 하는 마음이죠. 보틀 디저트는 누구나, 쉽게 만들 수 있는 게 장점이에요. 크림의 농도가 조금 묽어도, 시트가 조금 찌그러져도 이 정도의 실수는 괜찮다고 덮어줄 수 있는 마음 넓은 디저트랍니다. 그래서 실패에 대한 부담 없이 가벼운 마음으로 시도해보셔도 좋아요.

이 책에 담긴 메뉴들은 실제로 카페장쌤에서 판매하고 있는 메뉴들, 판매했었던 메뉴들, 수업으로 진행했던 메뉴들이 대부분이에요. 기본을 바탕으로 여러 가지 맛으로도 응용할 수 있고 책 중간중간 팁으로도 담아 활용도도 높아요. 많은 분들에게 좋은 평가를 받았던 디저트 위주로 담았기 때문에 매장을 운영하시는 분들은 물론 홈베이커 분들에게도 카페장쌤의 디저트를 직접 만들어볼 수 있는 좋은 기회가 되지 않을까 생각해요. '내가 초보자라면 어떨까?' 하는 마음으로 아낌없이 제가 알고 경험한 것들을 담으려 노력했어요. 부디 그 노력이 독자 여러분들에게 닿아 이 책도 저의 이전 책들처럼 닳고 닳을 때까지 꺼내보는 책이 되기를 바랍니다.

느리고 느린 저를 항상 다독이며 기다려주시는 (주)더테이블 대표님, 카페장쌤의 직원들, 그리고 우리 가족 모두에게 (원고를 쓸 때마다 노트북 위로 올라가던 봄이에게도!) 사랑과 감사의 마음을 전합니다.

2022년 8월 저자 장은영

CONTENTS

BEFORE BAKING ● 베이킹을 시작하기 전에

이 책을 활용하는 법   010

보틀 케이크의 판매   011

이 책에서 사용한 틀   011

이 책에서 사용한 보틀   012

젤라틴의 이해   014

BOTTLE PUDDING ● 보틀 푸딩

Pudding 01.   호로록 우유 푸딩 − 기본 판나코타   018

Pudding 02.   호로록 우유 푸딩 − 딸기   028

Pudding 03.   호로록 우유 푸딩 − 망고   034

Pudding 04.   호로록 우유 푸딩 − 얼그레이 & 자몽   042

Pudding 05.   호로록 우유 푸딩 − 캐러멜 & 무화과   048

Pudding 06.   호로록 우유 푸딩 − 피스타치오 & 체리   056

■ 호로록 우유 푸딩 판매 팁   062

BOTTLE CAKE  보틀 케이크

Cake 01. 순수 단호박 케이크 066
Cake 02. 프레지에 076
Cake 03. 과일 믹스 프레지에 086
Cake 04. 피스타치오 & 자몽 케이크 088
Cake 05. 복숭아 티라미수 098
Cake 06. 호지차 & 감귤 케이크 108

Cake 07. 흑임자 & 유자 케이크 120
Cake 08. 체리 & 쇼콜라 케이크 130
Cake 09. 레몬 마들렌 케이크 140
Cake 10. 고구마 케이크 150

Cake 11. 쑥 & 인절미 케이크 160
Cake 12. 밤 & 말차 몽블랑 170
Cake 13. 코코넛 & 망고 케이크 180

BOTTLE BEVERAGE  보틀 음료

Beverage 01. 딸기 우유 192
Beverage 02. 복숭아 우유 194
Beverage 03. 밀크티 196

BEFORE BAKING

베이킹을 시작하기 전에

이 책을 활용하는 법

이 책에서 사용한 보틀의 사이즈와 제품명을 표기했습니다. 보틀에 관한 설명은 12p를 참고합니다.

케이크를 조립하는 단계에 따른 보관법도 세분화하였습니다.

케이크를 구성하는 시트, 크림, 장식물 등의 보관법을 세분화하였습니다.

함께 작업하는 재료는 선으로 표시해 작업의 효율성을 높였습니다.

이 책에서 제시한 온도와 시간은 우녹스 샵프로UNOX SHOP.Pro 컨벡션 오븐을 기준으로 하였습니다. 본인이 사용하는 오븐에 맞춰 적정 온도와 시간을 테스트해보는 것을 추천합니다.

초보자도 이해하기 쉽게 모든 과정을 생략 없이 자세하게 담았습니다.

높이 70mm 보틀(XYB-1270) 6개

보관
비스퀴 쇼콜라
단호박 무스

아이싱 전 케이크   냉동 2주,
완제품   냉장 2일

노른자
설탕A
흰자
설탕B

12.
180℃로 예열된 오븐에로 온도를 낮춰 12분간 바로 철판에서 빼내 식힙니다.

보틀 케이크의
판매

이 책에서 소개하는 보틀 케이크는 크림으로 아이싱을 한 후 과일이나 장식물로 마무리해 뚜껑을 덮지 않은 상태로도 쇼케이스 안에서 판매할 수 있는 제품입니다. 각 레시피의 배합은 사용한 보틀을 기준으로 사진처럼 보틀 안에 꽉 차게 완성되는 양입니다. 사용하는 틀의 사이즈에 맞춰 배합을 조절해도 좋고, 뚜껑이 닫힐 정도로 배합을 줄여도 좋습니다.

이 책에서
사용한 틀

이 책에서 소개하는 보틀 케이크의 시트를 구울 때 사용하는 틀입니다. 사이즈가 비슷한 틀을 사용하거나, 가지고 있는 틀의 사이즈에 맞춰 배합을 조절해도 좋습니다.

오븐용 철판

● 여기에서는 우녹스 오븐용 철판을 사용
했습니다.

다이소 베이킹 트레이

● 가격도 저렴하고 이 사이즈의 판에 시트를 구웠
을 때 손실(로스)도 적어 많이 사용하고 있는 제품
입니다.

이 책에서 사용한 보틀

요즘에는 다양한 모양과 사이즈의 디저트 보틀이 판매되고 있습니다. 이 책에서는 여러 가지 보틀을 보여드리는 것보다 시중에서 쉽게 구할 수 있는 4가지 사이즈의 보틀을 기준으로 하여 판매를 하시는 분들에게는 작업의 생산성과 효율성을 높일 수 있도록, 홈베이커 분들에게는 여러 가지 보틀을 구입하지 않아도 되도록 부담을 줄였습니다.

물론 꼭 이 책에서 사용한 보틀이 아니더라도 원하는 보틀의 사이즈에 맞춰 배합을 조절하거나, 집에 있는 다회용 틀에 맞춰 만들 수도 있습니다.

이 책에서 사용한 4가지 보틀을 소개합니다. 제가 구입하는 사이트(새로피엔엘) 기준으로 제품명을 작성했으며, 비앤씨마켓 등 베이킹 재료·도구 사이트 또는 검색창에 아래의 키워드로 검색하여 구입할 수도 있습니다.

구입한 보틀은 깨끗하게 씻어 자연 건조한 후 사용합니다.

1 사이즈   밑지름 50 × 윗지름 76 × 높이 70mm
   검색 키워드   150cc PS컵 무지, 디저트 컵

2 사이즈   가로 120 × 세로 63 × 높이 70mm
   검색 키워드   XYB-1270 (제품명), 사각 쿠키 용기, 보틀 케이크 용기, 플라스틱 직사각 쿠키 용기

3 사이즈   지름 70 × 높이 80mm
   검색 키워드   원형 쿠키 용기

4 사이즈   가로 85 × 세로 85 × 높이 63mm
   검색 키워드   XYB-305 (제품명), 사각 쿠키 용기, 티라미수 용기, 플라스틱 정사각 쿠키 용기

젤라틴의 이해

이 책에서 사용한 '판젤라틴'은 찬물에 담가 불려 물기를 짜낸 후 녹여 사용합니다. 젤라틴을 불리는 물의 온도나 시간, 물기를 어느 정도 짜내는지에 따라 수분의 양이 달라지기 때문에 제품의 질감이 매번 달라질 수 있습니다. 대부분 판젤라틴 무게 5~6배의 물에 불리기 때문에 (이 책에서는 5배의 물에 불렸습니다.) 찬물에 불린 판젤라틴의 무게를 재어보고 불리기 전 판젤라틴 무게의 6배가 되었는지 확인한 후에 사용합니다.

ex) 판젤라틴 1장의 무게가 2g인 경우

판젤라틴(2g) + 5배의 물(10g) = 불린 판젤라틴의 무게(12g)

판젤라틴은 고온에서 녹일 경우 응고력이 약해지고 특유의 냄새가 날 수 있으므로 60~70℃ 정도의 물에 중탕으로 녹이거나, 전자레인지에서 10초씩 짧게 끊어가며 녹이는 것이 좋습니다.

가루 젤라틴을 사용할 경우 '젤라틴 매스'로 미리 만들어두면 편리하게 사용할 수 있습니다. 젤라틴 매스를 만드는 방법은 가루 젤라틴을 가루 젤라틴 무게 5~6배의 따뜻한 물에 잘 녹인 후 굳힌 다음 레시피에 필요한 양만큼 계량해 사용합니다.

ex) 레시피에 필요한 젤라틴의 양이 2g인 경우 젤라틴 매스 12g을 사용

가루 젤라틴(2g) + 5배의 물(10g) = 젤라틴 매스(12g)

젤라틴 매스는 물의 양을 정확하게 조절할 수 있어 항상 균일한 제품을 만들 수 있는 장점이 있습니다. 젤라틴을 많이 사용하는 업장이라면 젤라틴 매스로 미리 만들어 냉장고에 보관하며 사용하는 것이 편리합니다. (냉장 보관 1주일) 판젤라틴과 가루 젤라틴의 성분 차이는 없습니다. 단, 가루 젤라틴의 순도가 높으므로 판젤라틴을 3g 사용할 때 가루 젤라틴은 2g만 사용(2/3 용량)하는 것을 추천합니다.

BOTTLE

보틀 푸딩

PUDDING

PANNA COTTA
BASIC

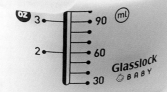

호로록 우유 푸딩 – 기본 판나코타

판나코타는 간단한 재료로 오븐 없이 누구나 쉽게 만들 수 있는 이탈리아 디저트예요. '판나Panna'는 '크림', '코타Cotta'는 '요리하다', '익히다'라는 뜻으로 '판나코타'는 '요리한 크림'이라는 뜻을 가지고 있어요. 어떤 재료를 사용하는지에 따라, 어떤 토핑 재료를 올리는지에 따라 사계절 내내 다양한 맛으로 응용하기 좋은 디저트예요. 여기에서 소개하는 레시피를 기준으로 우유의 비율을 늘리면 좀 더 가볍게, 생크림의 비율을 늘리면 좀 더 진하고 농후하게 완성할 수 있으니 취향에 맞춰 조절하셔도 좋아요. 물론 당도도 설탕의 양으로 조절할 수 있고, 질감도 젤라틴의 양으로 조절할 수 있어요.

분 량

밑지름 50 × 윗지름 76 × 높이 70mm 보틀(150cc PS컵) 10개

보 관

| 기본 판나코타 | 냉장 3일 |
| 과일을 올린 기본 판나코타 | 냉장 1일 |

* 냉동한 푸딩은 해동되면서 거친 식감을 내기 때문에 냉동 보관은 추천하지 않습니다.

Ingredients

기 본 판 나 코 타		장 식
판젤라틴	11g	다양한 과일
생크림	465g	
우유	465g	
설탕	105g	
바닐라빈	1/4개	

1.

판젤라틴을 차가운 물에 불려 준비합니다.

TIP__ 판젤라틴 11g을 불린 무게가 66g이 되도록 중
량을 맞춰 사용합니다.
여름철에는 얼음물에 불립니다.

2.

냄비에 생크림, 우유, 설탕, 바닐라빈을 넣고 중
불로 가열합니다.

TIP__ 바닐라빈은 줄기를 반으로 갈라 씨를 긁어내 씨
와 줄기를 함께 사용합니다. (바닐라빈은 생략할 수 있습니
다.) 바닐라빈 대신 홍차, 허브, 원두가루 등을 넣고 우려내
다양한 맛을 낼 수 있습니다.

3.

주걱으로 천천히 저어가며 설탕을 녹이면서
60~70℃ 정도로 가열합니다.

4.

불린 판젤라틴을 넣고 주걱으로 저어가며 녹입
니다.

5.

불린 판젤라틴이 모두 녹으면 체에 거릅니다.

6.

얼음물이 담긴 볼에 받쳐 주걱으로 천천히 저으며 30℃ 이하의 온도로 식힙니다.

7.

150ml 보틀 기준 100g씩 담아 냉장고에서 3시간 이상 굳힌 후 원하는 과일을 올려 완성합니다.

TIP__ 매장에서는 2~3일 판매 분량의 기본 판나코타를 한 번에 만들어 냉장 보관하면서 그때그때 과일을 올려 판매하면 효율적입니다.

기본 판나코타에 여러 가지 제철 과일을 더해
다양한 맛으로 완성할 수 있습니다.

STRAWBERRY
PUDDING

호로록 우유 푸딩 – 딸기

기본 판나코타에 산딸기 쿨리Coulis를 더하고 생딸기를 가득 올린 푸딩이에요. (쿨리는 과일이나 채소로 만든 되직한 소스라고 생각하시면 돼요.) 산딸기 퓌레 대신 원하는 맛의 퓌레를 사용해 쿨리를 만들고, 쿨리와 어울리는 생과일을 올려 다양한 맛으로 응용할 수 있어요. 쿨리가 깔린 푸딩을 먹을 때는 숟가락을 보틀 바닥까지 깊숙이 넣어 쿨리, 판나코타, 생과일을 한꺼번에 떠먹는 것이 가장 맛있게 먹는 방법이에요.

분량

밑지름 50 × 윗지름 76 × 높이 70mm 보틀(150cc PS컵) 10개

보관

기본 판나코타	냉장 3일
산딸기 쿨리	냉동 2주
과일을 올린 완제품	냉장 1일

Ingredients

기본 판나코타 (21p)		산딸기 쿨리		장식
판젤라틴	11g	산딸기 퓌레	180g	딸기
생크림	465g	물엿	10g	식용 허브
우유	465g	트리몰린	15g	
설탕	105g	설탕	18g	
바닐라빈	1/4개	NH펙틴	1g	

* 미량 저울이 없는 분들도 계량하기 쉽게 NH 펙틴을 1g으로 맞춘 배합입니다. 제시한 보틀 기준 13개 정도가 나오는 분량이며, 쿨리 제조 시 오래 끓여 졸아들 수 있으므로 이 배합으로 조금 넉넉하게 만들어두는 것을 추천합니다.

산딸기 쿨리

1.

냄비에 산딸기 퓌레, 물엿, 트리몰린을 넣고 중불에서 주걱으로 저어가며 가열합니다.

TIP_ 산딸기 퓌레 대신 복숭아 퓌레, 체리 퓌레, 망고 퓌레, 살구 퓌레 등을 이용해 다양한 맛의 쿨리를 만들 수 있습니다.
트리몰린이 없다면 물엿으로 대체해도 좋습니다.

2.

냄비 안 가장자리가 전체적으로 끓어오르면 미리 섞어둔 설탕과 펙틴을 조금씩 넣습니다.

TIP_ 펙틴은 수분과 만나면 뭉쳐지기 쉬우므로 설탕과 함께 사용하는 경우 섞어서 넣습니다.

3.

주걱으로 저어가며 어느 정도 점도가 생길 때까지 30초 정도 가열합니다.

TIP_ 주걱으로 긁었을 때 냄비 바닥이 보이는 정도로 가열합니다.

4.

얼음물이 담긴 볼에 받쳐 주걱으로 저어가며 30℃ 이하의 온도로 식힙니다.

TIP_ 쿨리는 한 번에 대량으로 만들어 1회 사용 분량으로 소분해 냉동 보관해두고 필요할 때마다 꺼내 해동한 후 사용하면 편리합니다.

마무리

5.

150ml 보틀 기준 15g씩 담아 냉동실에서 얼립니다.

TIP ＿ 산딸기 쿨리가 확실하게 얼어야 기본 판나코타를 부었을 때 뒤섞이지 않습니다.
보틀에 쿨리만 넣고 얼린 채로 냉동실에서 2주 이상 보관할 수 있습니다.

6.

얼린 산딸기 쿨리 위에 기본 판나코타(30℃ 이하)를 100g씩 담고 냉장고에서 3시간 이상 굳힙니다.

TIP ＿ 입구 한 쪽이 뾰족한 계량컵을 사용하면 흘리지 않고 깔끔하게 담을 수 있습니다.

7.

적당한 크기로 자른 딸기를 올립니다.

TIP ＿ 취향에 따라 다양한 식용 허브로 장식해도 좋습니다.

MANGO
PUDDING

호로록 우유 푸딩 – 망고

기본 판나코타 위에 생망고를 섞은 망고 쿨리를 올린 푸딩이에요. 앞서 소개한
딸기 푸딩처럼 쿨리를 보틀 아래에 깔아도 좋고, 여기에서처럼 생과일과 버무려
판나코타 위에 올려주어도 좋아요. 특히 망고, 복숭아, 바나나 등 갈변하기 쉬운
과일은 쿨리와 버무려 올리는 것이 시각적으로도 더 생기 있어 보여요. 망고 퓌
레 대신 원하는 맛의 퓌레를 사용해 쿨리를 만들고, 쿨리와 어울리는 생과일과
버무려 다양한 맛으로 응용할 수 있어요.

분 량

밑지름 50 × 윗지름 76 × 높이 70mm 보틀(150cc PS컵) 10개

보 관

기본 판나코타	냉장 3일
망고 쿨리	냉동 2주
과일을 올린 완제품	냉장 1일

Ingredients

기본 판나코타 (21p)		망고 쿨리		장식
판젤라틴	11g	망고 퓌레	270g	식용 허브
생크림	465g	물엿	15g	
우유	465g	트리몰린	15g	
설탕	105g	설탕	15g	
바닐라빈	1/4개	NH펙틴	1.5g	
		망고	적당량	

망고 쿨리

1.

냄비에 망고 퓌레, 물엿, 트리몰린을 넣고 중불에서 주걱으로 저어가며 가열합니다.

TIP __ 트리몰린이 없다면 물엿으로 대체해도 좋습니다.

2.

냄비 안 가장자리가 전체적으로 끓어오르면 미리 섞어둔 설탕과 펙틴을 조금씩 넣습니다.

TIP __ 펙틴은 수분과 만나면 뭉쳐지기 쉬우므로 설탕과 함께 사용하는 경우 섞어서 넣습니다.

3.

주걱으로 저어가며 어느 정도 점도가 생길 때까지 30초 정도 가열합니다.

TIP __ 주걱으로 긁었을 때 냄비 바닥이 보이는 정도로 가열합니다.

4.

얼음물이 담긴 볼에 받쳐 주걱으로 저어가며 30℃ 이하의 온도로 식힙니다.

TIP __ 쿨리는 한 번에 대량으로 만들어 1회 사용 분량으로 소분해 냉동 보관해두고 필요할 때마다 꺼내 해동한 후 사용하면 편리합니다.

5.

적당한 크기로 자른 망고를 넣고 섞어줍니다.

마무리

6.

미리 만들어둔 기본 판나코타(23p)를 준비합니다.

7.

망고 쿨리와 섞은 망고를 올립니다.

TIP __ 취향에 따라 다양한 식용 허브로 장식해도 좋습니다.

여러 가지 맛의 퓌레를 사용하고
퓌레와 어울리는 과일로 장식해
다양한 맛의 쿨리로 응용할 수 있습니다.

EARL GREY & GRAPEFRUIT PUDDING

호로록 우유 푸딩 – 얼그레이 & 자몽

기본 판나코타에 들어가는 바닐라빈 대신 얼그레이 잎을 넣고 우려 맛을 낸 푸딩
이에요. 쌉싸래한 자몽과 얼그레이의 조합이 참 잘 어울려요. 얼그레이 잎 대신
곱게 간 원두 가루나 허브 잎 등, 우려낼 수 있는 재료를 사용해 다양한 맛으로 응
용할 수 있어요.

분량

밑지름 50 × 윗지름 76 × 높이 70mm 보틀(150cc PS컵) 10개

보관

얼그레이 판나코타	냉장 3일
과일을 올린 완제품	냉장 1일

Ingredients

얼그레이 판나코타		장식
판젤라틴	13.5g	자몽
생크림	580g	식용 허브
우유	580g	
설탕	131g	
얼그레이 잎	35g	

얼그레이 판나코타

1.

판젤라틴을 차가운 물에 불려 준비합니다.

TIP_ 판젤라틴 13.5g을 불린 무게가 81g이 되도록
중량을 맞춰 사용합니다.
여름철에는 얼음물에 불립니다.

2.

냄비에 생크림, 우유, 설탕을 넣고 중불에서 천
천히 저어가며 설탕을 녹이면서 60~70℃로 가
열합니다.

3.

불린 판젤라틴을 넣고 주걱으로 저어가며 녹
입니다.

4.

불에서 내린 후 곱게 간 얼그레이 잎을 넣고 잘
섞어 20분 정도 우려줍니다.

TIP_ 여기에서는 요크셔 골드(TAYLORS of
HARROGATE YORKSHIRE gold) 홍차를 사용했습니다.
얼그레이 잎 그대로를 넣는 것보다 곱게 갈아 넣어야 더 진하
게 우러납니다.

5.

다시백 또는 면포에 거릅니다.

TIP_ 주걱으로 눌러 얼그레이 잎이 머금고 있는 수분을
모두 짜냅니다.

6.

얼음물이 담긴 볼에 받쳐 주걱으로 잘 저어가
며 30℃ 이하의 온도로 식힙니다.

마무리

7.

150ml 보틀 기준 얼그레이 판나코타(30℃ 이
하)를 110g씩 담아 냉장고에서 3시간 이상 굳
힙니다.

8.

속껍질까지 깨끗하게 손질한 자몽을 올립니
다. (97p)

TIP_ 취향에 따라 다양한 식용 허브로 장식해도 좋습
니다.

CARAMEL & FIG PUDDING

호로록 우유 푸딩 – 캐러멜 & 무화과

설탕을 캐러멜화시킨 후 생크림과 섞어 만든 캐러멜을 판나코타에 섞은 달콤한 푸딩이에요. 6~7월에는 살구를, 8~11월에는 무화과를 올려 캐러멜과 잘 어울리는 신선하고 당도 높은 제철 과일로 완성해보세요.

분 량

밑지름 50 × 윗지름 76 × 높이 70mm 보틀(150cc PS컵) 10개

보 관

캐러멜 판나코타	냉장 3일
과일을 올린 완제품	냉장 1일

Ingredients

캐러멜●		캐러멜 판나코타		장 식	
설탕	80g	판젤라틴	11g	무화과	
생크림	80g	생크림	465g	식용 허브	
		우유	465g		
		설탕	90g		
		캐러멜(판나코타용)●	80g		
		캐러멜(소스용)●	50g		

캐러멜

1.

냄비에 설탕을 넣고 가열하기 시작합니다.

TIP__ 2배합 이상으로 작업하는 경우 설탕을 한 번에
넣지 않고 나눠 넣어가며 작업합니다.
3번 과정에서 사용할 생크림은 이때 미리 데워둡니다.

2.

냄비를 돌려가며 가장자리의 설탕이 타지 않도
록 주의하며 갈색빛이 돌 때까지 가열합니다.

3.

설탕이 모두 녹고 황금빛 거품이 일면서 끓어
오르기 시작하면 뜨겁게 데운 생크림을 조금
씩 넣어가며 주걱으로 빠르게 섞어줍니다.

TIP__ 생크림을 넣을 때 발생하는 뜨거운 수증기에 화
상을 입지 않도록 주의합니다.

4.

완성된 캐러멜은 판나코타용으로 80g, 나머지
는 소스용으로 나눠둡니다.

TIP__ 판나코타용 캐러멜은 따뜻한 상태로, 소스용은
차가운 상태로 준비합니다.

캐러멜 판나코타

5.

판젤라틴을 차가운 물에 불려 준비합니다.

TIP__ 판젤라틴 11g을 불린 무게가 66g이 되도록 중량
을 맞춰 사용합니다.
여름철에는 얼음물에 불립니다.

6.

냄비에 생크림, 우유, 설탕을 넣고 중불로 가열
합니다.

7.

주걱으로 천천히 저어가며 설탕을 녹이면서
60~70℃ 정도로 가열합니다.

8.

7이 따뜻한 상태일 때 만들어둔 따뜻한 상태의
캐러멜(판나코타용) 80g을 넣고 섞어줍니다.

9.
불린 판젤라틴을 넣고 주걱으로 저어가며 녹입니다.

10.
체에 거른 후 얼음물이 담긴 볼에 받쳐 주걱으로 잘 저어가며 30℃ 이하의 온도로 식힙니다.

11.
150ml 보틀 기준 캐러멜 판나코타(30℃ 이하)를 110g씩 담아 냉장고에서 3시간 이상 굳힙니다.

마무리

12.

굳힌 캐러멜 판나코타 위에 캐러멜(소스용)을
5g씩 파이핑합니다.

13.

적당한 크기로 자른 무화과를 가득 올립니다.

TIP__ 무화과 대신 살구를 올려도 캐러멜과 잘 어울
립니다. 취향에 따라 다양한 식용 허브로 장식해도 좋습
니다.

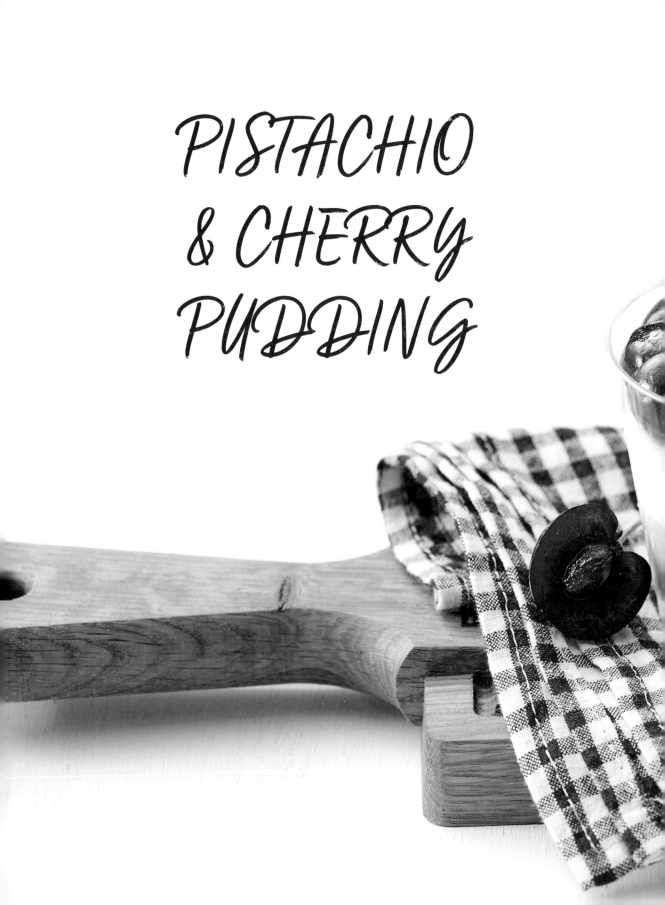

PISTACHIO & CHERRY PUDDING

호로록 우유 푸딩 – 피스타치오 & 체리

피스타치오의 고소함과 체리의 상큼함이 잘 어울리는 푸딩이에요. 피스타치오 페이스트 대신 다양한 맛의 견과류 페이스트나 프랄린을 사용해 응용할 수 있어요. 페이스트나 프랄린은 브랜드마다 맛이나 색이 다르니 테스트해본 후 취향에 맞게 사용하는 것을 추천해요.

분량

밑지름 50 × 윗지름 76 × 높이 70mm 보틀(150cc PS컵) 10개

보관

기본 판나코타	냉장 3일
피스타치오 판나코타	냉장 3일
과일을 올린 완제품	냉장 1일

Ingredients

피스타치오 & 기본 판나코타		장식
판젤라틴	11g	체리
생크림	465g	
우유	465g	
설탕	105g	
피스타치오 페이스트	100g	

피스타치오 판나코타

1.

판젤라틴을 차가운 물에 불려 준비합니다.

TIP＿ 판젤라틴 11g을 불린 무게가 66g이 되도록 중량을 맞춰 사용합니다. 여름철에는 얼음물에 불립니다.

2.

냄비에 생크림, 우유, 설탕을 넣고 중불로 가열합니다.

3.

주걱으로 천천히 저어가며 설탕을 녹이면서 60~70℃ 정도로 가열합니다.

4.

불린 판젤라틴을 넣고 주걱으로 저어가며 녹입니다.

5.

불린 판젤라틴이 모두 녹으면 체에 거른 후 두 개의 볼에 반씩 나눕니다.

TIP＿ 하나는 피스타치오 판나코타로, 하나는 기본 판나코타로 완성합니다.

6.

한 볼에 피스타치오 페이스트를 넣고 섞은 후 얼음물이 담긴 볼에 받쳐 주걱으로 잘 저어주며 30℃ 이하의 온도로 식힙니다.

TIP＿ 피스타치오 페이스트는 실온 상태의 것을 사용해야 잘 섞입니다.

7.

150ml 보틀 기준 피스타치오 판나
코타(30℃ 이하)를 60g씩 담아 냉
동실에서 30분 정도 굳힙니다.

TIP__ 냉동실에 너무 오래 두어 판나코타
가 얼지 않게 주의합니다. 얼었다 해동된 판
나코타는 거친 식감으로 완성될 수 있습니
다.

8.

다른 볼의 기본 판나코타도 얼음물
이 담긴 볼에 받쳐 주걱으로 잘 저
어주며 30℃ 이하의 온도로 식힙니
다.

9.

굳힌 피스타치오 판나코타 위에 기
본 판나코타(30℃ 이하)를 50g씩
담아 냉장고에서 1시간 이상 굳힙
니다.

TIP__ 피스타치오 판나코타가 어느 정도
굳어야 기본 판나코타와 섞이지 않아 선명
한 층을 만들 수 있습니다.

10.

씨를 제거하고 반으로 자른 체리를
가득 올린 후 꼭지가 달린 체리 한
알을 올립니다.

TIP__ 체리 대신 산딸기를 사용해도 피스
타치오 판나코타와 잘 어울립니다.

호로록 우유 푸딩 판매 팁

사용할 보틀에 담은 판나코타는 냉장고에서 3일간 보관할 수 있습니다. 베이스가 되는 판나코타를
미리 대량으로 만들어두고, 신선한 과일 또는 과일 쿨리를 올려 판매하거나 바로 드실 수 있습니다.
(단, 얼린 후 해동하면 식감이 좋지 않기 때문에 냉동 보관하는 것은 추천하지 않습니다.)
판나코타, 쿨리, 과일을 올린 완제품 등 세부 보관법은 각 레피시를 참고합니다.

BOTTLE

보틀 케이크

CAKE

SWEET PUMPKIN
CAKE

순수 단호박 케이크

카페장쌤에서 가장 오랜 시간 판매되고 있는 케이크예요. 처음에는 조각 케이크로 판매했었는데 좀 더 부드러운 식감으로 완성하고 싶어 보틀에 담는 형태로 바꾸게 되었어요. 많은 재료를 넣지 않아 단호박 본연의 맛을 더 깊게 느낄 수 있답니다. 밀가루가 들어가지 않는 'NO 밀가루 디저트'예요.

분량

가로 120 × 세로 63 × 높이 70mm 보틀(XYB-1270) 6개

보관

비스퀴 쇼콜라	냉동 2주	아이싱 전 케이크	냉동 2주, 냉장 2일
단호박 무스	당일 사용	완제품	냉장 2일
장식용 구운 단호박	냉동 2주		

Ingredients

비스퀴 쇼콜라
39 × 25cm 철판 1대 분량

노른자	66g
설탕A	30g
흰자	144g
설탕B	60g
코코아파우더	18g
녹인 다크초콜릿	24g

(VALRHONA CARAIBE 66%)

단호박 무스

판젤라틴	9g
익힌 단호박	600g
설탕	126g
소금	1g
물엿	30g
골드럼(BACARDI)	5g
생크림	300g

아이싱 크림

생크림	150g
설탕	12g

장식

구운 단호박
피스타치오 분태

비스퀴 쇼콜라

1.
볼에 노른자, 설탕A를 넣고 거품이 뽀얗게 올라올 때까지 고속으로 휘핑합니다.

2.
다른 볼에 흰자, 설탕B 일부를 넣고 고속으로 휘핑합니다.

3.
남은 설탕B를 두세 번 나눠 넣어가며 고속으로 휘핑합니다.

4.
머랭의 뿔이 짧게 올라오는 단단한 상태가 되면 마무리합니다.

5.
1에 코코아파우더를 넣고 날가루가 보이지 않을 때까지 가볍게 섞어줍니다.

TIP _ 주걱으로 볼 바닥에서부터 반죽을 들어올리면서 섞어줍니다.

6.

녹인 다크초콜릿(약 50℃)을 넣고 빠르게 섞어줍니다.

T I P__ 섞는 시간이 길어질 경우 녹인 다크초콜릿이 굳어버려 반죽에 작은 덩어리로 남을
수 있습니다.

7.

6에 4의 절반을 넣고 바닥에서부터
반죽을 들어올리면서 섞어줍니다.

8.

남은 4를 넣고 바닥에서부터 반죽
을 들어올리면서 섞어줍니다.

9.

유산지를 깐 철판을 준비합니다.

10.

반죽의 볼륨이 꺼지지 않도록 주의하면서 빠르게, 평평하게 펼쳐줍니다.

11.

철판을 바닥에 두세 번 내리쳐 반죽의 기포를 제거합니다.

12.

180℃로 예열된 오븐에 넣고 170℃로 온도를 낮춰 12분간 구운 후 곧바로 철판에서 빼내 식힘망 위에서 식힙니다.

단호박 무스

13.

판젤라틴을 차가운 물에 불려 준비합니다.

TIP＿ 판젤라틴 9g을 불린 무게가 54g이 되도록 중량을 맞춰 사용합니다. 여름철에는 얼음물에 불립니다.

14.

단호박은 익힌 후 식혀 준비합니다.

TIP＿ 익힌 단호박의 수분이 많은 경우 팬에 넣고 살짝 볶아 수분을 날려줍니다. 수분이 많은 상태로 작업하면 생크림과 섞을 때 분리되기 쉬우므로 수분이 없는 상태로 사용하는 것이 좋습니다. 그대로 사용하기 좋은 밤호박을 추천합니다.

15.

식힌 단호박에 설탕, 소금, 물엿을 넣고 골고루 섞어줍니다.

16.
불린 판젤라틴을 전자레인지에서 녹여 섞어줍니다.

17.
블렌더로 곱게 갈아줍니다.

TIP__ 단호박이 씹히는 식감을 원한다면 입자가 느껴지는 상태에서 마무리합니다.

18.
골드럼을 넣고 가볍게 섞어줍니다.

19.
다른 볼에 생크림을 넣고 뿔이 부드럽게 휘는 정도가 될 때까지 휘핑합니다.

20.
18에 19의 절반을 넣고 섞어줍니다.

TIP__ 주걱으로 볼 바닥에서부터 반죽을 들어올리면서 섞어줍니다.

21.
남은 **19**를 넣고 골고루 섞어줍니다.

마무리

22.

충분히 식힌 비스퀴 쇼콜라를 보틀로 6장 자릅니다.

TIP__ 밀가루가 들어가지 않아 잘 찢어지므로 주의합니다.

23.

남은 비스퀴 쇼콜라는 9×3cm 사이즈로 6장 자릅니다.

TIP__ 자른 비스퀴 쇼콜라는 밀봉해 냉동 보관하면서 편리하게 사용할 수 있습니다.

24.

보틀에 보틀 크기로 자른 비스퀴 쇼콜라를 넣습니다.

25.

단호박 무스를 짤주머니에 담아 보틀 높이의 1/3 정도로 채웁니다.

26.

9×3cm 사이즈로 자른 비스퀴 쇼콜라를 올립니다.

27.

다시 단호박 무스를 보틀 높이의 2/3 정도로 채웁니다.

28.

단호박 무스 윗면을 평평하게 정리합니다.

29.

195번 원형 깍지를 이용해 아이싱 크림을 파이핑합니다.

TIP__ 아이싱 크림은 볼에 생크림과 설탕을 함께 넣고 뿔이 부드럽게 서는 90% 정도로 휘핑해 사용합니다.

30.

장식용 구운 단호박을 올립니다.

TIP__ 취향에 따라 피스타치오 분태로 장식해도 좋습니다.

● **장식용 구운 단호박 만들기**

① 단호박을 얇게 썬 후 철판에 올리고 꿀을 뿌립니다.

② 165℃로 예열된 오븐에서 10분간 구운 후 식혀 사용합니다.

FRAISIER

프레지에

딸기를 이용한 케이크, 프레지에예요. 프레지에를 만들 때는 보통 크렘 파티시에
와 버터를 섞은 크렘 무슬린을 사용하는데요, 저는 좀 더 가볍게 먹을 수 있도록
크렘 파티시에와 생크림을 섞은 크림으로 만들었어요. 기본 크림이기 때문에 복
숭아, 망고, 샤인머스켓, 체리, 무화과, 자몽, 오렌지 등 다양한 제철 과일과도 잘
어울려 활용 범위가 넓어요.

분량

가로 120 × 세로 63 × 높이 70mm 보틀(XYB-1270) 8개

보관

제누아즈	냉동 2주	아이싱 전 케이크	냉장 1일
크림(크렘 파티시에르 + 생크림)	당일 사용	과일을 올린 완제품	냉장 1일

Ingredients

제누아즈
46 × 34cm 철판 1대 분량

달걀	248g
설탕	150g
박력분	135g
녹인 버터	37g
우유	18g

크렘 파티시에르 + 생크림

우유	515g
설탕A	50g
바닐라빈	2개
노른자	135g
설탕B	50g
옥수수전분	40g
버터	30g
생크림	240g

아이싱 크림

생크림	200g
설탕	16g

샌딩 & 장식

딸기
식용 허브

제누아즈

1.

볼에 달걀, 설탕을 넣고 골고루 섞어줍니다.

2.

뜨거운 물이 담긴 볼 위에 올려 설탕이 모두 녹고 45℃ 정도의 온도가 될 때까지 섞어줍니다.

TIP＿ 손가락으로 달걀물을 만졌을 때 설탕의 입자가 느껴지지 않아야 합니다. 중탕물의 온도가 높으면 달걀이 익어버리니 온도를 확인해가며 작업합니다.

3.

설탕이 모두 녹으면 중탕 볼에서 내려 고속으로 휘핑합니다.

4.

뽀얗게 올라오면 저속으로 기포를 정리해줍니다.

5.

휘퍼로 반죽을 떨어뜨렸을 때 리본 모양으로 선명하게 그려지는 정도로 마무리합니다.

6.

체 친 박력분을 넣고 날가루가 보이지 않을 때까지 섞어줍니다.

TIP＿ 주걱으로 볼 바닥에서부터 반죽을 들어 올리면서 섞어줍니다.

7.

녹인 버터와 우유(약 40℃)에 반죽한 주걱을 넣고 섞어줍니다.

TIP__ 녹인 버터와 우유를 반죽 일부에 먼저 섞어 넣으면 달걀의 거품이 사그라드는 것을 막을 수 있습니다.

8.

남은 반죽에 넣고 빠르게, 바닥에서부터 반죽을 들어올리면서 골고루 섞어줍니다.

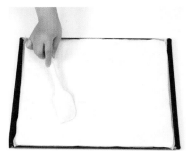

9.

유산지를 깐 철판에 반죽을 붓고 고르게 펼쳐줍니다.

10.

반죽을 고르게 펼친 후 철판을 바닥에 두세 번 내리쳐 반죽의 기포를 제거합니다.

11.

170℃로 예열된 오븐에 넣고 160℃로 온도를 낮춰 12분간 굽습니다.

12.

구워져 나온 시트는 철판에서 뺀 후 유산지가 붙어 있는 상태로 식힘망 위에서 식힙니다.

13.

냄비에 우유, 설탕A, 바닐라빈을 넣고 가장자리가 끓어오를 때까지 가열합니다.

TIP__ 바닐라빈은 줄기를 반으로 갈라 씨를 긁어내 씨와 줄기를 함께 사용합니다.

14.

볼에 노른자, 설탕B를 넣고 거품기로 골고루 섞어줍니다.

15.

옥수수전분을 넣고 날가루가 보이지 않을 때까지 섞어줍니다.

TIP__ 옥수수전분은 뭉치지 않아 체에 치지 않아도 됩니다.

16.

15에 13을 조금씩 넣어가며 섞어줍니다.

17.

체에 걸러 냄비로 옮겨줍니다.

18.

다시 불에 올려 점성이 생길 때까지 휘퍼로 충분히, 골고루 저어가며 중불 이상에서 호화시켜줍니다.

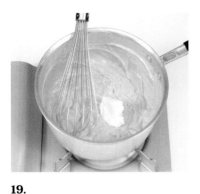

19.

충분히 호화되면 버터를 넣고 섞어
줍니다.

20.

불에서 내려 얼음물이 담긴 볼에 받
쳐 크림의 온도를 떨어뜨린 후 표
면에 밀착 랩핑해 냉장고에서 30℃
이하의 온도로 식힙니다.

21.

식힌 크림은 저속으로 부드럽게 풀
어줍니다.

22.

단단하게 휘핑한 생크림 절반을 넣
고 섞어줍니다.

23.

남은 생크림을 모두 넣고 섞어줍니
다.

마무리

24.

충분히 식힌 제누아즈를 보틀로 16장 자릅니다.

TIP_ 남은 공간은 점선처럼 보틀 절반 크기로 잘라 2개를 합쳐 사용하면 로스를 줄일 수 있습니다.

25.

1cm 각봉을 이용해 제누아즈를 1cm 높이로 자릅니다.

TIP_ 제누아즈의 사이즈가 큰 편이므로 틀로 먼저 자른 후, 각봉으로 높이를 맞춰주는 것이 편리합니다.
자른 제누아즈는 밀봉해 냉동 보관하면서 편리하게 사용할 수 있습니다.

26.

보틀에 자른 제누아즈를 넣습니다.

27.

반으로 자른 딸기를 보틀 가장자리에 둘러줍니다.

TIP_ 딸기를 보틀 벽면에 잘 밀착시켜야 크림이 채워진 후 깔끔하게 완성됩니다.

28.

딸기와 딸기 사이에 크림을 채워 빈 공간이 없게 합니다.

29.

슬라이스한 딸기를 골고루 올립니다.

30.

보틀 높이에서 1.5cm 정도만 남기고 크림을 채웁니다.

31.

자른 제누아즈를 넣고 손으로 살짝 눌러 수평을 맞춰줍니다.

TIP__ 제누아즈까지 넣은 후 보틀 윗면이 0.5cm 정도 여유가 있어야 스패츌러로 아이싱 크림을 덮기 쉽습니다.

32.

아이싱 크림을 담고 스패츌러로 평평하게 펼쳐줍니다.

TIP__ 아이싱 크림은 볼에 생크림과 설탕을 넣고 뿔이 부드럽게 휘는 80% 정도로 휘핑해 사용합니다.

33.

딸기로 장식합니다.

TIP__ 취향에 따라 다양한 식용 허브로 장식해도 좋습니다.

FRUIT MIX FRAISIER

과일 믹스 프레지에

프레지에의 응용 버전이에요. 알록달록 제철 과일을 보틀 가장자리에 두르고 케이크 윗면에도 장식한 케이크예요. 사용하는 시트와 크림 모두 프레지에(76p)와 동일해요. 사용하고 남은 자투리 과일들을 활용하기에 좋아요.

How to make

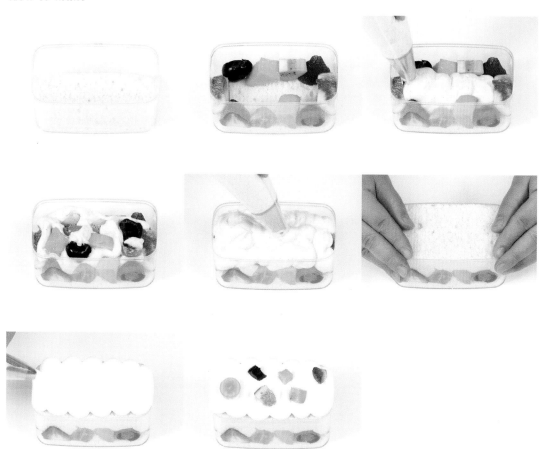

PISTACHIO & GRAPEFRUIT CAKE

피스타치오 & 자몽 케이크

고소하고 녹진한 피스타치오, 쌉싸래하고 청량한 자몽이 잘 어울리는 케이크예요. 자몽 대신 딸기, 산딸기, 체리, 오렌지 등의 약간의 산미가 있는 과일로 대체해도 잘 어울려 사계절 내내 같은 듯 다르게 즐길 수 있는 메뉴예요.

분량

가로 120 × 세로 63 × 높이 70mm 보틀(XYB-1270) 6개

보관

피스타치오 다쿠아즈	냉동 2주	과일을 올리지 않은 케이크	냉장 2일, 냉동 2주
피스타치오 크럼블	냉동 2주		
과일을 올린 완제품			냉장 2일

* 굽지 않은 피스타치오 크럼블은 냉동실에서 1달간 보관하며 사용할 수 있습니다.

피스타치오 무스 　　바로 사용

Ingredients

피스타치오 다쿠아즈

35 × 20cm 크기

흰자	180g
설탕	45g
아몬드가루	100g
슈거파우더	100g
다진 피스타치오	15g

피스타치오 크럼블

버터	45g
설탕	45g
아몬드가루	45g
박력분	45g
다진 피스타치오	20g

장식

자몽

피스타치오 분태

피스타치오 무스

설탕	100g
물	50g
노른자	64g
생크림A	40g
판젤라틴	6g
피스타치오 페이스트	100g
생크림B	360g

피스타치오 다쿠아즈

1.

볼에 흰자를 넣고 설탕을 두세 번 나눠 넣어가며 단단한 상태의 머랭이 될 때까지 휘핑합니다.

2.

체 친 아몬드가루와 슈거파우더를 넣고 섞어줍니다.

TIP__ 주걱으로 볼 바닥에서부터 반죽을 들어 올리면서 섞어줍니다.

3.

유산지를 깐 철판을 준비합니다.

TIP__ 유산지 뒷면에 35 × 20cm 직사각형을 그려놓으면 파이핑하기 쉽습니다.

4.

지름 1cm 원형 깍지를 이용해 선에 맞춰 반죽을 파이핑합니다.

5.

반죽 위에 슈거파우더(분량 외)를 두 번 뿌립니다.

TIP__ 슈거파우더를 전체적으로 한 번 뿌린 후 스며들면 다시 한 번 더 뿌립니다. 이는 시트 표면에 설탕 막을 만들어 겉은 바삭하고 속은 촉촉하게 완성하기 위한 작업입니다.

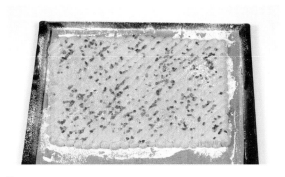

6.
다진 피스타치오를 뿌린 후 180℃로 예열된 오븐에 넣고 170℃로 낮춰 20분간 굽습니다.

7.
구워져 나온 시트는 철판에서 뺀 후 유산지가 붙어 있는 상태로 식힘망 위에서 식힙니다.

피스타치오 크럼블

8.
볼에 실온에 두어 말랑한 상태의 버터를 주걱으로 가볍게 풀어줍니다.

9.
설탕을 넣고 골고루 섞어줍니다.

10.
체 친 아몬드가루, 박력분을 넣고 날가루가 보이지 않을 때까지 섞어줍니다.

11.

다진 피스타치오를 넣고 골고루 섞어 부슬부슬한 상태로 만듭니다.

12.

테프론시트를 깐 철판에 펼칩니다.

13.

180℃로 예열된 오븐에 넣고 170℃로 낮춰 18분간 구운 후 식힙니다.

피스타치오 무스

14.

판젤라틴을 차가운 물에 불려 준비합니다.

TIP__ 판젤라틴 6g을 불린 무게가 36g이 되도록 중량을 맞춰 사용합니다.
여름철에는 얼음물에 불립니다.

15.

냄비에 설탕과 물을 넣고 118℃까지 가열해 시럽을 만듭니다.

TIP__ 시럽의 온도가 118℃가 되기 전에 16번 작업을 미리 시작해야 합니다.

16.

볼에 노른자를 넣고 뽀얗고 볼륨감 있는 상태가 될 때까지 고속으로 충분히 휘핑합니다.

17.

16에 15를 조금씩 흘려 넣어가며
휘핑합니다.

TIP__ 시럽이 휘퍼에 닿지 않도록 주의하
면서 넣습니다.

18.

다른 볼에 생크림A와 14를 넣고 판
젤라틴이 녹을 때까지 전자레인지
에서 데워줍니다.

19.

17에 18을 넣고 섞어줍니다.

20.

실온에 둔 미지근한 상태의 피스타
치오 페이스트를 넣고 골고루 섞어
줍니다.

TIP__ 냉장고에서 바로 꺼낸 차가운 상태
의 피스타치오 페이스트를 사용하면 반죽의
온도가 급격히 떨어져 뭉칠 수 있으므로 주
의합니다.

21.

부드러운 상태로 휘핑한 생크림B
절반을 넣고 바닥에서부터 반죽을
들어올리면서 섞어줍니다.

22.

남은 생크림B를 넣고 골고루 섞어
줍니다.

마무리

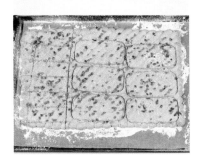

23.

충분히 식힌 다쿠아즈를 보틀로 6장 자릅니다. 남은 다쿠아즈는 9 × 3cm 크기로 6장 자릅니다.

TIP_ 자른 피스타치오 다쿠아즈는 밀봉해 냉동 보관하면서 편리하게 사용할 수 있습니다.

24.

보틀 안에 피스타치오 크럼블을 30g씩 담습니다.

TIP_ 큰 덩어리는 부수어 사용합니다.

25.

피스타치오 무스를 틀 높이의 1/3 정도로 채웁니다.

TIP_ 피스타치오 크럼블을 바삭한 상태로 오래 유지하고 싶다면 크럼블 위에 다쿠아즈를 먼저 올리고 무스를 채워줍니다.

26.

보틀 사이즈로 자른 피스타치오 다쿠아즈를 넣고 손으로 살짝 눌러 수평을 맞춰줍니다.

27.

피스타치오 무스를 보틀 높이 2/3 정도로 채웁니다.

28.

9 × 3cm 크기로 자른 피스타치오 다쿠아즈를 올립니다.

29.
남은 피스타치오 무스를 채우고 평평하게 정리한 후 냉동실에서 30분 이상 굳힙니다.

TIP__ 자몽이 올라가고 뚜껑이 덮일 정도의 공간을 남겨줍니다.

30.
손질한 자몽을 올립니다.

TIP__ 취향에 따라 피스타치오 분태나 다양한 식용 허브로 장식해도 좋습니다.

● **자몽 손질법** (SEGMENT)

① 깨끗이 씻은 자몽의 위쪽과 아래쪽 껍질을 자릅니다.

② 옆면의 껍질도 자릅니다.

TIP__ 하얀 섬유질이 보이지 않도록 자릅니다.

③ 과육의 섬유질을 피해 조각으로 자릅니다.

④ 손질한 자몽은 키친타월에 받쳐 물기를 제거한 후 사용합니다.

PEACH TRAMISU

복숭아 티라미수

에스프레소를 사용하는 클래식 티라미수를 변형해 복숭아 티라미수로 만들어보
았어요. 동일한 레시피에 복숭아 대신 딸기로 응용해도 잘 어울리고, 제누아즈에
에스프레소를 듬뿍 적셔 클래식 티라미수로 응용해도 좋아요.

분량

가로 120 × 세로 63 × 높이 70mm 보틀(XYB-1270) 6개

보관

제누아즈	냉동 2주	과일을 올리지 않은 케이크	냉장 2일, 냉동 2주
복숭아 콩포트	냉장 5일, 냉동 2주	과일을 올린 완제품	냉장 2일
마스카르포네 무스	당일 사용		

Ingredients

제누아즈

39 × 25cm 철판 1대 분량

달걀	165g
설탕	100g
박력분	90g
녹인 버터	25g
우유	12g

복숭아 콩포트

자른 천도복숭아	500g
설탕	150g
바닐라빈	1/2개
복숭아 리큐어 (DIJON Peches)	20g

장식

천도복숭아
식용 허브
서브리모(미로와)

마스카르포네 무스

판젤라틴	3g
설탕	60g
물	40g
노른자	92g
마스카르포네 치즈	250g
복숭아 리큐어 (DIJON Peches)	12g
생크림	180g

제누아즈

1.
볼에 달걀, 설탕을 넣고 골고루 섞어줍니다.

2.
뜨거운 물이 담긴 볼 위에 올려 설탕이 모두 녹고 45℃ 정도의 온도가 될 때까지 섞어줍니다.

TIP__ 손가락으로 달걀물을 만졌을 때 설탕의 입자가 느껴지지 않아야 합니다. 중탕물의 온도가 높으면 달걀이 익어버리니 온도를 확인해가며 작업합니다.

3.
설탕이 모두 녹으면 중탕 볼에서 내려 고속으로 휘핑합니다.

4.
뽀얗게 올라오면 저속으로 기포를 정리해줍니다.

5.
휘퍼로 반죽을 떨어뜨렸을 때 리본 모양으로 선명하게 그려지는 정도로 마무리합니다.

6.
체 친 박력분을 넣고 날가루가 보이지 않을 때까지 섞어줍니다.

TIP__ 주걱으로 볼 바닥에서부터 반죽을 들어 올리면서 섞어줍니다.

7.

녹인 버터와 우유(약 40℃)에 반죽
한 주걱을 넣고 섞어줍니다.

TIP__ 녹인 버터와 우유를 반죽 일부에
먼저 섞어 넣으면 달걀의 거품이 사그라드
는 것을 막을 수 있습니다.

8.

남은 반죽에 넣고 빠르게, 골고루
섞어줍니다.

9.

유산지를 깐 철판에 반죽을 붓고 고
르게 펼쳐줍니다.

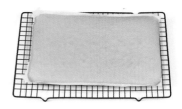

10.

반죽을 고르게 펼친 후 철판을 바닥
에 두세 번 내리쳐 반죽의 기포를
제거합니다.

11.

170℃로 예열된 오븐에 넣고 160℃
로 온도를 낮춰 12분간 굽습니다.

12.

구워져 나온 시트는 철판에서 뺀 후
유산지가 붙어 있는 상태로 식힘망
위에서 식힙니다.

복숭아 콩포트

13.

냄비에 사방 2cm 크기로 자른 천
도복숭아, 설탕, 바닐라빈을 넣고
골고루 버무립니다.

TIP__ 바닐라빈은 줄기를 반으로 갈라 씨
를 긁어내 씨와 줄기를 함께 사용합니다.

14.

설탕이 녹을 때까지 실온에 둡니다.

15.

중불에서 복숭아 과육이 반투명한
상태가 될 때까지 가열합니다.

TIP__ 식으면서도 복숭아의 숨이 죽으므
로 너무 오래 끓여 과육이 뭉개지지 않도록
주의합니다.

마스카르포네 무스

 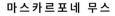 

16.

차갑게 식힌 후 복숭아 리큐르를 넣
고 섞어줍니다.

17.

체에 거른 후 과육만 사용합니다.

TIP__ 걸러진 복숭아 시럽은 복숭아 우유
(194p)를 만드는 데 사용할 수 있으니 버
리지 말고 냉장고에 보관합니다.

18.

판젤라틴을 차가운 물에 불려 준비
합니다.

TIP__ 판젤라틴 3g을 불린 무게가 18g
이 되도록 중량을 맞춰 사용합니다.
여름철에는 얼음물에 불립니다.

19.

냄비에 설탕과 물을 넣고 118℃까지 가열해 시럽을 만듭니다.

TIP__ 시럽의 온도가 118℃가 되기 전에 20번 작업을 미리 시작해야 합니다.

20.

볼에 노른자를 넣고 뽀얗고 볼륨감 있는 상태가 될 때까지 고속으로 충분히 휘핑합니다.

21.

20에 **19**를 조금씩 흘려 넣어가며 휘핑합니다.

22.

불린 판젤라틴을 전자레인지에서 녹여 섞어줍니다.

23.

실온에 두어 부드러운 상태인 마스카르포네 치즈를 넣고 덩어리 없이 잘 풀어줍니다.

24.

복숭아 리큐어를 넣고 섞어줍니다.

마무리

25.
부드러운 상태로 휘핑한 생크림 절반을 넣고 섞어줍니다.

26.
남은 생크림을 넣고 골고루 섞어줍니다.

27.
1cm 각봉을 이용해 제누아즈를 1cm 높이로 자릅니다.

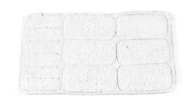

28.
충분히 식힌 제누아즈를 보틀로 6장 자릅니다. 남은 제누아즈는 9 × 3cm 크기로 6장 자릅니다.

TIP __ 자른 제누아즈는 밀봉해 냉동 보관하면서 편리하게 사용할 수 있습니다.

29.
보틀에 체에 걸러 식힌 복숭아 콩포트를 50g씩 채웁니다.

30.
보틀 크기로 자른 제누아즈를 넣습니다.

31.
마스카르포네 무스를 보틀 높이
1/3 정도로 채웁니다.

32.
9 × 3cm 크기로 자른 제누아즈를
올립니다.

33.
보틀 가운데에 복숭아 콩포트를
20g씩 올립니다.

34.
마스카르포네 무스를 보틀 높이에
서 1.5cm 정도만 남기고 채웁니다.

35.
냉동실에서 1시간 정도 굳힙니다.

36.
얇게 썬 천도복숭아를 올린 후 서브
리모를 바릅니다.

TIP__ 바로 먹을 것이라면 서브리모를 바
르지 않아도 됩니다.
천도복숭아는 깍뚝썰어 올려도 좋습니다.
취향에 따라 식용 허브를 올려주어도 좋습
니다.

HOJICHA &
TANGERINE
CAKE

호지차 & 감귤 케이크

제가 처음 이 케이크를 만들었을 때가 제주도로 여행을 가기 바로 전날이었는데요, 보랭백에 조심히 담아 제주도 바닷가에서 사진을 찍었던 기억이 나요. 제주산 호지차와 감귤로 만든 이 케이크는 쌉싸래하면서도 고소한 호지차의 맛과 상큼한 감귤의 맛, 그리고 토핑으로 얹은 화이트초콜릿의 달콤함이 참 조화로운 디저트예요.

분량

가로 120 × 세로 63 × 높이 70mm 보틀(XYB-1270) 6개

보관

호지차 비스퀴	냉동 2주	과일, 초콜릿을 올리지 않은 케이크	냉장 2일, 냉동 2주
감귤오렌지 마멀레이드	냉동 2주		
호지차 마스카르포네 무스	당일 사용	과일, 초콜릿을 올린 완제품	냉장 2일

Ingredients

감귤오렌지 마멀레이드
18 × 9cm 크기

감귤	115g
오렌지	65g
설탕	37g
NH펙틴	5g

호지차 비스퀴
40 × 20cm 크기

노른자	68g
설탕A	34g
흰자	100g
설탕B	34g
박력분	30g
호지차가루	5g
옥수수전분	34g

호지차 마스카르포네 무스

판젤라틴	4g
설탕	84g
물	40g
노른자	70g
우유	80g
호지차가루	10g
마스카르포네 치즈	300g
생크림	200g

호지차 시럽

물	50g
설탕	25g
호지차가루	3g
오렌지 리큐어 (COINTREAU)	5g

장식

감귤
화이트초콜릿
(VALRHONA OPALYS 33%)

감귤오렌지 마멀레이드

1.

냄비에 적당한 크기로 자른 감귤, 오렌지를 넣고 가열합니다.

2.

끓어오르기 시작하면 미리 섞어둔 설탕과 NH펙틴을 넣고 섞어줍니다.

3.

1분 정도 더 끓여 찐득한 상태가 되면 불에서 내립니다.

4.

18cm 정사각형 무스 틀 바닥을 랩으로 막아 준비합니다.

TIP_ 18cm 정사각형 무스 틀을 사용하기 위해 2배합으로 만들었습니다. (1배합으로 만들 경우 더 작은 틀을 사용합니다.) 남은 감귤오렌지 마멀레이드는 냉동 보관해 필요할 때 사용합니다.

5.

감귤오렌지 마멀레이드를 붓고 윗면을 평평하게 정리합니다.

6.

냉동실에서 얼린 후 9 × 3cm 크기로 잘라 사용합니다.

TIP_ 하루 전날 만들어 냉동해두면 사용하기 편합니다. 감귤 대신 금귤이나 천혜향 등을 사용해도 좋습니다.

호지차 비스퀴

7.
볼에 노른자, 설탕A를 넣고 거품이 뽀얗게 올라올 때까지 고속으로 휘핑합니다.

8.
다른 볼에 흰자, 설탕B 일부를 넣고 고속으로 휘핑합니다.

9.
남은 설탕B를 두세 번 나눠 넣어가며 고속으로 휘핑합니다.

10.
머랭의 뿔이 짧게 올라오는 단단한 상태가 되면 마무리합니다.

11.
7에 **10**의 절반을 넣고 주걱으로 떠올리듯 섞어줍니다.

12.
체 친 박력분, 호지차가루, 옥수수전분을 넣고 날가루가 보이지 않을 때까지 섞어줍니다.

TIP＿ 주걱으로 볼 바닥에서부터 반죽을 들어올리면서 섞어줍니다.

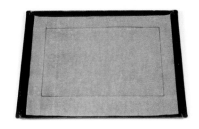

13.

남은 **10**을 넣고 골고루 섞어줍니다.

14.

완성된 반죽은 일반적인 비스퀴 반죽에 비해 약간 묽은 편입니다.

15.

유산지를 깐 철판을 준비합니다.

TIP__ 유산지 뒷면에 40 × 20cm 직사각형을 그려놓으면 파이핑하기 쉽습니다.

16.

1cm 원형 깍지를 이용해 반죽을 파이핑합니다.

TIP__ 파이핑 간격을 1mm 정도 두면 더 예쁜 모양으로 구워집니다.

17.

반죽 위에 슈거파우더(분량 외)를 두 번 뿌립니다.

TIP__ 슈거파우더를 전체적으로 한 번 뿌린 후 스며들면 다시 한번 더 뿌려줍니다. 이는 시트 표면에 설탕 막을 만들어 겉은 바삭하고 속은 촉촉하게 완성하기 위한 작업입니다.

18.

180℃로 예열된 오븐에 넣고 170℃로 낮춰 10분간 굽습니다.

19.

구워져 나온 비스퀴는 곧바로 철판에서 뺀 후 유산지가 붙어 있는 상태로 식힘망 위에서 식힙니다.

호지차 마스카르포네 무스

20.

판젤라틴을 차가운 물에 불려 준비합니다.

TIP__ 판젤라틴 4g을 불린 무게가 24g이 되도록 중량을 맞춰 사용합니다. 여름철에는 얼음물에 불립니다.

21.

냄비에 설탕과 물을 넣고 118℃까지 가열해 시럽을 만듭니다.

TIP__ 시럽을 끓이는 동안 노른자를 휘핑합니다.
시럽의 온도가 118℃가 되기 전에 22번 작업을 미리 시작해야 합니다.

22.

볼에 노른자를 넣고 뽀얗고 볼륨감 있는 상태가 될 때까지 고속으로 충분히 휘핑합니다.

23.
22에 21을 조금씩 흘려 넣어가며 뽀얗고 볼륨감이 생길 때까지 휘핑합니다.

24.
따뜻한 정도로 데운 우유에 호지차 가루를 넣고 잘 섞어줍니다.

25.
23에 24를 넣고 골고루 섞어줍니다.

26.
불린 판젤라틴을 전자레인지에서 녹여 섞어줍니다.

27.
실온에 두어 부드러운 상태의 마스카르포네 치즈를 넣고 섞어줍니다.

28.
부드러운 상태로 휘핑한 생크림 절반을 넣고 섞어줍니다.

TIP__ 주걱으로 볼 바닥에서부터 반죽을 들어 올리면서 섞어줍니다.

29.

남은 생크림을 넣고 골고루 섞어줍니다.

호지차 시럽

30.

볼에 물, 설탕, 호지차가루를 넣고 섞은 후 전자레인지에서 데워 설탕을 녹여 식힙니다.

31.

오렌지 리큐어를 넣고 섞어줍니다.

TIP __ 쿠앵트로 대신 그랑 마르니에르를 사용해도 좋습니다.

마무리

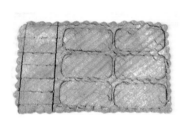

32.
충분히 식힌 호지차 비스퀴를 보틀로 6장 자릅니다. 남은 비스퀴는 9 × 3cm 크기로 6장 자릅니다.

TIP__ 자른 호지차 비스퀴는 밀봉해 냉동 보관하면서 편리하게 사용할 수 있습니다.

33.
보틀 크기로 자른 호지차 비스퀴에 호지차 시럽을 적셔줍니다.

34.
시럽을 적신 호지차 비스퀴를 보틀에 넣습니다.

35.
호지차 마스카르포네 무스를 보틀 높이 1/3 정도로 채웁니다.

36.
얼린 감귤오렌지 마멀레이드를 올립니다.

37.
호지차 마스카르포네 무스로 윗면을 살짝 덮어줍니다.

38.

9 × 3cm 크기로 자른 호지차 비스퀴에 호지차 시럽을 발라 올립니다.

39.

호지차 마스카르포네 무스를 채운 후 윗면을 평평하게 정리합니다.

TIP__ 감귤과 화이트초콜릿이 올라가고 뚜껑이 덮일 정도의 공간을 남겨줍니다.

40.

냉동실에서 1시간 정도 굳힙니다.

41.

속껍질까지 벗긴 감귤, 화이트초콜릿 코포를 올립니다.

TIP__ 화이트초콜릿 코포는 판 초콜릿이나 블럭 초콜릿을 초콜릿 나이프로 긁어 만듭니다. 여기에서는 커버추어 초콜릿을 녹여 사각형으로 굳힌 후 초콜릿 나이프로 긁어내 사용했습니다.

BLACK SESAME & YUJA CAKE

흑임자 & 유자 케이크

이 케이크는 고소하고 묵직한 흑임자 크림과 향기롭고 상큼한 유자 크레뮤, 그리고 바삭한 흑임자 쉬세를 꼭 한 번에 드셔야 해요. 맛이 진한 케이크라 따뜻한 곡물차와 함께 드시면 더 좋아요.

분량

지름 70 × 높이 80mm 원통형 보틀 8개

보관

흑임자 쉬세	냉동 1달	장식을 올리지 않은 케이크	냉장 2일, 냉동 2주
유자 크레뮤	냉동 1달	장식을 올린 완제품	냉장 2일
흑임자 크림	당일 사용		

Ingredients

유자 크레뮤
8.5cm 정사각형 2개 분량

판젤라틴	1.5g
유자 퓌레	45g
노른자	28g
달걀	35g
설탕	20g
버터	35g
다진 유자 콩피	45g

흑임자 쉬세

흰자	100g
설탕A	20g
우유	10g
아몬드가루	54g
슈거파우더	54g
설탕B	65g
흑임자가루	20g
검은깨	적당량
녹인 카카오버터	적당량

흑임자 크림

판젤라틴	4g
생크림A	300g
노른자	120g
설탕	90g
흑임자 페이스트	100g
생크림B	240g

장식

흑임자 쉬세
유자 크레뮤
유자 콩피

유자 크레뮤

1.

판젤라틴을 차가운 물에 불려 준비
합니다.

TIP _ 판젤라틴 1.5g을 불린 무게가 9g
이 되도록 중량을 맞춰 사용합니다.
여름철에는 얼음물에 불립니다.

2.

팬에 유자 퓌레를 넣고 따뜻한 상태
로 데워줍니다.

3.

볼에 노른자, 달걀, 설탕을 넣고 가
볍게 섞어줍니다.

4.

3에 2를 넣고 섞어줍니다.

5.

다시 냄비로 옮겨 중불에서 잘 저어
가며 가열합니다.

6.

82℃로 온도가 올라가면 불린 판젤
라틴을 넣고 섞어줍니다.

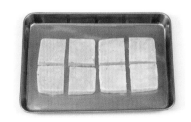

7.

불린 판젤라틴이 모두 녹으면 불에
서 내려 버터, 다진 유자 콩피를 넣
고 블렌더로 곱게 갈아줍니다.

8.

사각형 틀에 유자 크레뮤를 붓고 냉
동실에서 완전히 얼려줍니다.

 여기에서는 11~13번 케이크에서
사용한 XYB-305 보틀의 뚜껑을 사용했습
니다.

9.

얼린 유자 크레뮤는 4등분으로 잘
라 냉동실에 보관합니다.

흑임자 쉭세

10.

볼에 달걀 흰자를 넣고 설탕A를 두
세 번 나눠 넣으며 휘핑합니다.

11.

머랭의 뿔이 바짝 서고 단단한 상태
가 되면 우유를 넣고 가볍게 휘핑합
니다.

12.

휘퍼로 들어 올렸을 때 짧은 뿔이
생긴 상태로 단단한 머랭이 되면 마
무리합니다.

13.

미리 섞어 체 친 아몬드가루, 슈거파
우더, 설탕B, 흑임자가루를 두 번에
나눠 넣으며 주걱으로 섞어줍니다.

TIP_ 주걱으로 볼 바닥에서부터 반죽을
들어 올리면서 섞어줍니다.

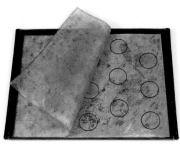

14.

테프론시트를 깐 철판을 준비합니
다.

TIP_ 테프론시트 밑에 지름 5.5cm 원
형을 그린 유산지를 깔면 파이핑하기 수월
합니다.

15.

보틀에 담을 쉭세는 지름 5.5cm 원
형으로, 보틀 위에 장식할 쉭세는 키
세스 모양으로 작게 파이핑합니다.

TIP_ 여기에서는 지름 1cm 원형 깍지
로 파이핑했습니다.

16.

검은깨를 뿌립니다.

17.

150℃로 예열된 오븐에 넣고
130℃로 낮춰 1시간 동안 말리듯
굽습니다.

TIP_ 작은 사이즈로 파이핑한 흑임자 쉭
세는 40분간 굽습니다.
구워져 나온 흑임자 쉭세는 식힘망 위에서
식힙니다.

흑임자 크림

18.

판젤라틴을 차가운 물에 불려 준비
합니다.

TIP__ 판젤라틴 4g을 불린 무게가 24g
이 되도록 중량을 맞춰 사용합니다.
여름철에는 얼음물에 불립니다.

19.

팬에 생크림A를 넣고 따뜻한 정도
로 가열합니다.

20.

볼에 노른자, 설탕을 넣고 골고루
섞어줍니다.

21.

흑임자 페이스트를 넣고 섞어줍니
다.

22.

21에 **19**를 조금씩 넣어가며 섞어줍
니다.

23.

다시 팬에 담아 약불에서 잘 저어가
며 82℃까지 온도를 올립니다.

TIP__ 지방 성분이 많은 편이라 오래 끓
이면 분리될 수 있으니 주의합니다.

24.

불린 판젤라틴을 넣고 섞어줍니다.

25.

불린 판젤라틴이 모두 녹으면 얼음
물이 담긴 볼에 받쳐 30℃로 식힙
니다.

26.

부드럽게 휘핑한 생크림B를 넣고
섞어줍니다.

TIP＿ 생크림B는 뿔이 길고 부드럽게 휘
어지는 정도로 휘핑합니다.

마무리

TIP＿ 주걱으로 볼 바닥에서부터 들어 올
리듯 섞어줍니다.

27.

구워 식힌 흑임자 쉘세에 녹인 카카
오버터를 얇게 바릅니다.

TIP＿ 장식용 작은 흑임자 쉘세에도 녹인
카카오버터를 바릅니다.
흑임자 크림이 쉘세에 스며들어 눅눅해지는
것을 막기 위함입니다. 만든 직후 먹을 것이
라면 생략해도 되는 과정입니다.

28.

녹인 카카오버터를 바른 흑임자 쉘
세를 보틀에 넣습니다.

29.

흑임자 크림을 보틀 1/3 높이 정도
로 채웁니다.

30.

얼린 유자 크레뮤를 올립니다.

31.

흑임자 크림을 보틀 1/2 높이 정도
로 채웁니다.

32.

녹인 카카오버터를 바른 흑임자 쉭
세를 올립니다.

33.

흑임자 크림을 보틀 높이 1.5cm를
남기고 채운 후 바닥에 살짝 쳐 윗
면을 평평하게 만들어 냉동실에서
1시간 정도 굳힙니다.

34.

장식용 흑임자 쉭세, 유자 콩피를
올립니다.

TIP __ 남은 유자 크레뮤가 있다면 작게
잘라 장식으로 함께 올려도 좋습니다.

CHERRY & CHOCOLAT CAKE

체리 & 쇼콜라 케이크

체리와 초콜릿의 조합은 '포레누아'라는 디저트로 익숙하죠. 설탕 없이 다크초콜릿과 밀크초콜릿만으로 만든 가나슈 몽테는 달지 않은 진한 초콜릿 맛으로 체리의 단맛과 아주 잘 어울려요. 체리 대신 살딸기나 딸기로 대체해 만들어도 잘 어울리는 케이크예요.

분 량

지름 70 × 높이 80mm 원통형 보틀 6개

보 관

초콜릿 제누아즈	냉동 2주
가나슈 몽테	냉장 3일
과일을 올리지 않은 케이크	냉장 2일, 냉동 2주
과일을 올린 완제품	냉장 2일

Ingredients

가 나 슈 몽 테

생크림A	205g
트리몰린	30g
다크초콜릿	50g
(VALRHONA CARAIBE 66%)	
밀크초콜릿	40g
(VALRHONA JIVARA 40%)	
생크림B	205g

초 콜 릿 제 누 아 즈

지름 10cm 미니 원형 틀 3개 분량

달걀	210g
설탕	110g
소금	0.5g
박력분	85g
코코아파우더	13g
베이킹소다	0.5g
녹인 버터	40g
우유	15g

체 리 시 럽

설탕	50g
물	75g
체리 리큐어	10g
(DIJON KIRSCH)	

샌 딩 & 장 식

체리	약 70개

가나슈 몽테

1.

냄비에 생크림A와 트리몰린을 넣고 가열합니다.

TIP__ 트리몰린이 없다면 물엿으로 대체해도 좋습니다.

2.

냄비 안 가장자리가 끓어오르면 불을 끕니다.

3.

다크초콜릿과 밀크초콜릿이 담긴 볼에 붓고 잠시 둡니다.

TIP__ 생크림의 열기가 초콜릿에 전달되게 하여 잘 녹이기 위한 과정입니다.

4.

주걱으로 볼 가운데부터 한 방향으로 저어가며 섞어줍니다.

5.

차가운 상태의 생크림B를 넣고 블렌더로 유화시켜줍니다.

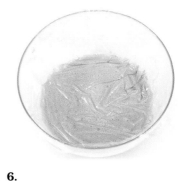

6.

표면에 밀착 랩핑한 후 냉장고에서 6시간 ~ 하루 정도 휴지시켜줍니다.

TIP__ 휴지 시간이 있기 때문에 하루 전날 미리 만들어두는 것이 좋습니다. 충분히 휴지시키지 않으면 휘핑 시 분리될 수 있습니다.

초콜릿 제누아즈

7.

볼에 달걀, 설탕, 소금을 넣고 잘 섞어줍니다.

8.

뜨거운 물이 담긴 볼 위에 올려 설탕이 모두 녹고 45℃ 정도의 온도가 될 때까지 섞어줍니다.

TIP__ 손가락으로 달걀물을 만졌을 때 설탕의 입자가 느껴지지 않아야 합니다. 중탕물의 온도가 높으면 달걀이 익어버리니 온도를 확인해가며 작업합니다.

9.

중탕 볼에서 내려 고속으로 충분히 휘핑한 후 반죽의 볼륨이 충분히 올라오면 저속으로 기공을 정리합니다.

10.

휘퍼로 반죽을 떨어뜨렸을 때 리본 모양으로 선명하게 그려지는 정도로 마무리합니다.

11.

체 친 박력분, 코코아파우더, 베이킹소다를 넣고 볼 바닥에서부터 반죽을 들어 올리면서 빠르게 섞어줍니다.

TIP__ 코코아파우더의 지방 성분 때문에 달걀 거품이 사그라들 수 있으므로 빠르게 작업합니다.

12.

녹인 버터와 우유(약 40℃)에 반죽한 주걱을 넣고 섞어줍니다.

TIP__ 녹인 버터와 우유를 반죽 일부에 먼저 섞어 넣으면 달걀의 거품이 사그라드는 것을 막을 수 있습니다.

13.

남은 반죽에 넣고 빠르게, 골고루 섞어줍니다.

TIP __ 주걱으로 볼 바닥에서부터 반죽을 들어 올리면서 섞어줍니다.

14.

유산지를 깐 미니 원형 틀을 준비합니다.

15.

반죽을 틀 3개에 나눠 부은 후 180℃로 예열한 오븐에 넣고 165℃로 낮춰 20분간 굽습니다.

TIP __ 반죽을 담은 후 틀을 바닥에 두세 번 내리쳐 반죽의 기포를 제거합니다.

체리 시럽

16.

구워져 나온 초콜릿 제누아즈는 틀째 바닥에 두세 번 내리쳐 타격을 준 후 틀에서 빼 유산지가 붙어 있는 상태로 식힘망 위에서 충분히 식힙니다.

17.

볼에 설탕과 물을 담고 전자레인지에서 설탕을 녹여 식힌 후 체리 리큐어를 섞어 사용합니다.

마무리

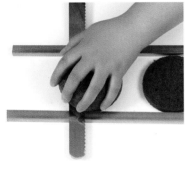

18.
충분히 식힌 초콜릿 제누아즈를 1cm 각봉을 이용해 1cm 높이로 자릅니다.

TIP__ 자른 초콜릿 제누아즈는 밀봉해 냉동 보관하면서 편리하게 사용할 수 있습니다.

19.
자른 초콜릿 제누아즈를 보틀로 12장 자릅니다.

20.
초콜릿 제누아즈에 체리 시럽을 바릅니다.

21.
보틀에 체리 시럽을 바른 초콜릿 제누아즈를 넣습니다.

22.
반으로 잘라 씨를 뺀 체리를 보틀 가장자리에 둘러줍니다.

TIP__ 체리를 보틀 벽면에 잘 밀착시켜야 크림이 채워진 후 깔끔하게 완성됩니다.

23.
냉장고에서 휴지시킨 가나슈 몽테를 뿔이 부드럽게 휘는 정도로 휘핑합니다.

24.

가나슈 몽테를 짤주머니에 담아 보틀 1/3 높이 정도로 채웁니다.

TIP__ 체리와 체리 사이에도 가나슈 몽테를 잘 채워 빈 공간이 없게 합니다.

25.

반으로 잘라 씨를 뺀 체리 2개를 올립니다.

26.

가나슈 몽테를 보틀 높이 1/2 정도로 채웁니다.

27.

체리 시럽을 적신 초콜릿 제누아즈를 넣고 손으로 살짝 눌러 평평하게 만듭니다.

28.

반으로 잘라 씨를 뺀 체리를 보틀 가장자리에 둘러줍니다.

29.

가나슈 몽테를 체리 높이만큼 채웁니다.

30.

반으로 잘라 씨를 뺀 체리 2개를 올립니다.

31.

가나슈 몽테를 채웁니다.

32.

스패츌러로 평평하게 펼쳐줍니다.

33.

꼭지가 달린 체리 2알을 올립니다.

LEMON
MADELEINE
CAKE

레몬 마들렌 케이크

마들렌 한 개가 통째로 들어가는 상큼한 보틀 케이크예요. 마들렌을 판매하는 매장이라면 더 쉽게 생산할 수 있고 응용하기도 쉬운 메뉴일 거예요. 카페장쌤에서는 레몬 커드를 충전한 레몬 마들렌을 판매하고 있는데요, 좀 더 가볍고 케이크 같은 느낌을 주고 싶어서 보틀 형태로 만들어보았어요. 유자, 오렌지, 귤 등 여러 가지 시트러스류의 과일들을 이용해 다양한 맛으로 응용하기 좋은 케이크예요.

분 량

지름 70 × 높이 80mm 원통형 보틀 6개

보 관

레몬 마들렌	냉동 2주	마들렌을 올리지 않은 케이크	냉장 2일, 냉동 2주
레몬 커드	냉장 3일, 냉동 2주		
요거트 크림	바로 사용	마들렌을 올린 완제품	냉장 2일

Ingredients

레몬 마들렌
9개 분량

달걀	110g
설탕	90g
소금	1g
꿀	20g
박력분	110g
베이킹파우더	4.5g
녹인 버터	120g
레몬즙	15g
레몬제스트	4.5g

레몬 커드

달걀	165g
설탕	75g
레몬즙	75g
바닐라빈	1/4개
버터	75g

요거트 크림

생크림	270g
설탕	30g
플레인요거트	270g

장 식

건조 레몬 칩

레몬 마들렌

1.

볼에 달걀, 설탕, 소금, 꿀을 넣고 가볍게 섞어줍니다.

2.

뜨거운 물이 담긴 볼 위에 올려 설탕이 모두 녹고 40℃ 정도의 온도가 될 때까지 섞어줍니다.

TIP＿ 손가락으로 달걀물을 만졌을 때 설탕의 입자가 느껴지지 않아야 합니다. 중탕물의 온도가 높으면 달걀이 익어버리니 온도를 확인해가며 작업합니다.

3.

설탕이 모두 녹으면 중탕 볼에서 내려 색이 밝아질 때까지 중속으로 2~3분 정도 휘핑합니다.

4.

체 친 박력분, 베이킹파우더를 넣고 저속으로 가볍게 섞어줍니다.

5.

녹인 버터(40~60℃)를 넣고 저속으로 충분히 섞어줍니다.

6.

레몬즙, 레몬제스트를 넣고 섞어줍니다.

7.

표면에 밀착 랩핑한 후 냉장고에서 30분간 휴지시킵니다.

8.

휴지시킨 반죽은 주걱으로 균일하게 섞어 짤주머니에 담습니다.

9.

레몬 모양 틀에 50g씩 팬닝합니다.

10.

180℃로 예열한 오븐에 넣고 170℃로 낮춰 13분간 굽습니다.

TIP__ 7분간 구운 후 틀을 돌려 6분 더 굽습니다.

11.

구워져 나온 레몬 마들렌은 틀 안에서 살짝 돌려 김이 빠져나갈 틈을 만들어주고 식힙니다.

TIP__ 뜨거운 상태의 마들렌을 식힘망 위에서 식히게 되면 식힘망 자국이 남아 케이크에 올렸을 때 예쁘게 완성되지 않습니다.

레몬 커드

12.

냄비에 달걀, 설탕, 레몬즙, 바닐라
빈을 넣고 잘 섞어줍니다.

TIP__ 바닐라빈은 줄기를 반으로 갈라 씨
를 긁어내 씨와 줄기를 함께 사용합니다. 달
걀의 비린내를 없애는 용도로 넣습니다.

13.

되직한 상태가 되고 가운데까지 보
글거리는 거품이 올라올 때까지 중
불에서 잘 저어가며 가열합니다.

14.

바닐라빈 줄기를 뺀 후 버터를 넣고
섞어줍니다.

15.

불에서 내려 블렌더로 잘 섞어줍니
다.

16.

표면에 밀착 랩핑한 후 냉장고에서
충분히 식혀 사용합니다.

TIP__ 레몬즙 대신 오렌지, 유자, 귤 등으
로 커드를 만들어 사용할 수도 있습니다.

요거트 크림

17.

볼에 생크림, 설탕을 넣고 단단한 상태(100%)로 휘핑합니다.

TIP __ 플레인요거트를 넣으면 묽어지므로 여기에서는 단단한 상태로 휘핑합니다.

18.

플레인요거트를 두세 번 나눠 넣어가며 휘핑합니다.

19.

뿔이 약간 휘는 정도의 부드러운 상태로 마무리합니다.

마무리

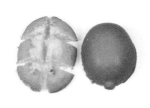

20.

충분히 식힌 마들렌을 반으로 자릅니다.

TIP __ 보틀 윗면에 예쁘게 올릴 수 있도록 레몬 모양이 망가지지 않게 주의하며 자릅니다.

21.

배꼽이 있는 쪽 마들렌은 적당한 크기로 잘라 충전물로, 배꼽이 없는 쪽 마들렌은 케이크 위에 올리는 용도로 사용합니다.

TIP __ 보틀 6개 분량이므로, 케이크 위에 올리는 용도로 마들렌 6개를 자르고, 나머지는 충전물로 사용할 수 있게 적당한 크기로 자릅니다.

22.

보틀에 레몬 커드를 30g씩 채웁니다.

23.
요커트 크림을 짤주머니에 담아 군데군데 채워줍니다.

24.
자른 레몬 마들렌 4~6조각을 넣습니다.

25.
다시 요거트 크림을 채웁니다.

26.
자른 레몬 마들렌 4~6조각을 넣습니다.

27.
요거트 크림을 보틀 높이 3cm 정도가 남도록 채운 후 윗면을 평평하게 정리합니다.

TIP _ 뚜껑을 닫지 않고 판매한다면 요거트 크림을 보틀 높이 1cm 정도가 남도록 채웁니다.

28.
레몬 커드를 보틀 높이 1cm 정도가 남도록 채웁니다.

29.

바닥에 살짝 내리쳐 윗면을 평평하
게 만듭니다.

30.

레몬 마들렌 반쪽을 올립니다.

TIP__ 취향에 따라 건조 레몬 칩을 올려
도 좋습니다.

SWEET POTATO CAKE

고구마 케이크

개인적으로 단호박, 감자, 고구마를 정말 좋아하는데요, 그래서 이번에는 가볍게 떠먹는 케이크가 아닌 진하고 묵직하게 먹을 수 있는 보틀 케이크를 만들어보았어요. 고구마 대신 호박고구마로 만들어도 맛있어요.

분량

지름 70 × 높이 80mm 원통형 보틀 5개

보관

제누아즈	냉동 2주	아이싱을 하지 않은 케이크	냉장 2일, 냉동 2주
크렘 파티시에르	바로 사용		
고구마 무스	바로 사용	아이싱, 고구마 조림을 올린 완제품	냉장 2일
고구마 조림	냉동 2주		

Ingredients

제누아즈

39 × 25cm 철판 1대 분량

달걀	165g
설탕	100g
박력분	90g
녹인 버터	25g
우유	12g

크렘 파티시에르●

우유	310g
설탕A	30g
바닐라빈	1개
노른자	80g
설탕B	30g
옥수수전분	24g
버터	18g

장식

고구마 조림●
검은깨

고구마 무스

익힌 고구마	500g
꿀	42g
크렘 파티시에르●	400g
생크림	100g

아이싱 크림

생크림	100g
설탕	8g
골드럼 (BACARDI)	6g

고구마 조림●

물	500g
고구마	150g
설탕	75g

시럽

설탕	50g
물	75g
골드럼 (BACARDI)	8g

제누아즈

1.

볼에 달걀, 설탕을 넣고 골고루 섞어줍니다.

2.

뜨거운 물이 담긴 볼 위에 올려 설탕이 모두 녹고 45℃ 정도의 온도가 될 때까지 섞어줍니다.

TIP__ 손가락으로 달걀물을 만졌을 때 설탕의 입자가 느껴지지 않아야 합니다. 중탕물의 온도가 높으면 달걀이 익어버리니 온도를 확인해가며 작업합니다.

3.

설탕이 모두 녹으면 중탕 볼에서 내려 고속으로 휘핑합니다.

4.

뽀얗게 올라오면 저속으로 기포를 정리해줍니다.

5.

휘퍼로 반죽을 떨어뜨렸을 때 리본 모양으로 선명하게 그려지는 정도로 마무리합니다.

6.

체 친 박력분을 넣고 날가루가 보이지 않을 때까지 섞어줍니다.

TIP__ 주걱으로 볼 바닥에서부터 반죽을 들어 올리면서 섞어줍니다.

7.

녹인 버터와 우유(약 40℃)에 반죽
한 주걱을 넣고 섞어줍니다.

TIP __ 녹인 버터와 우유를 반죽 일부에
먼저 섞어 넣으면 달걀의 거품이 사그라드
는 것을 막을 수 있습니다.

8.

남은 반죽에 넣고 빠르게, 골고루
섞어줍니다.

9.

유산지를 깐 철판에 반죽을 붓고 고
르게 펼쳐줍니다.

10.

반죽을 고르게 펼친 후 철판을 바닥
에 두세 번 내리쳐 반죽의 기포를
제거합니다.

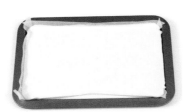

11.

170℃로 예열된 오븐에 넣고
160℃로 온도를 낮춰 12분간 굽습
니다.

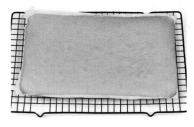

12.

구워져 나온 시트는 철판에서 뺀 후
유산지가 붙어 있는 상태로 식힘망
위에서 식힙니다.

크렘 파티시에르

13.

냄비에 우유, 설탕A, 바닐라빈을 넣고 가장자리가 끓어오를 때까지 가열합니다.

TIP__ 바닐라빈은 줄기를 반으로 갈라 씨를 긁어내 씨와 줄기를 함께 사용합니다.

14.

볼에 노른자, 설탕B를 넣고 거품기로 골고루 섞어줍니다.

15.

옥수수전분을 넣고 날가루가 보이지 않을 때까지 골고루 섞어줍니다.

TIP__ 옥수수전분은 뭉치지 않아 체에 치지 않아도 됩니다.

16.

15에 13을 조금씩 넣어가며 섞어줍니다.

17.

체에 걸러 냄비로 옮겨줍니다.

18.

다시 불에 올려 점성이 생길 때까지 휘퍼로 충분히, 골고루 저어가며 중불 이상에서 호화시켜줍니다.

19.

충분히 호화되면 불을 끈 후 버터를 넣고 섞어 크렘 파티시에르를 완성합니다.

20.

불에서 내린 후 얼음물이 담긴 볼에 받쳐 크림의 온도를 떨어뜨립니다.

TIP __ 크렘 파티시에르는 뜨거운 상태로 오래 두면 세균이 번식하기 쉬우므로 빠르게 식힙니다.

21.

표면에 밀착 랩핑해 냉장고에서 30℃ 이하의 온도로 식힙니다.

고구마 무스

22.

익혀 식힌 고구마를 가볍게 풀어줍니다.

TIP __ 고구마는 충분히 익히고 뜨거울 때 껍질을 제거한 후 으깨 준비합니다.

23.

꿀을 넣고 섞어줍니다.

TIP __ 꿀 대신 올리고당, 물엿 등으로 대체할 수 있습니다.
수분이 많은 호박고구마를 사용할 경우 꿀을 넣지 않아도 좋습니다.

24.

식힌 크렘 파티시에르를 두세 번 나눠 넣으며 섞어줍니다.

고구마 조림

25.

뿔이 부드럽게 휘는 상태로 휘핑한 생크림을 두세 번 나눠 넣으며 섞어 줍니다.

TIP__ 좀 더 가벼운 무스로 완성하고 싶다면 생크림의 비율을 높여도 좋습니다.

26.

팬에 물, 적당한 크기로 깍뚝썰기한 고구마를 넣고 충분히 익혀줍니다.

27.

고구마가 충분히 익으면 설탕을 넣고 졸여줍니다.

TIP__ 고구마 표면이 반짝거리고 시럽의 양이 반으로 줄면 불을 끄고 식힌 후 체에 걸러 고구마만 사용합니다.

마무리

28.

충분히 식힌 제누아즈를 보틀로 10장 자릅니다.

TIP__ 보틀로 자르고 남은 부분은 사진처럼 반원형으로 잘라 두 개를 합쳐 사용합니다.
자른 제누아즈는 밀봉해 냉동 보관하면서 편리하게 사용할 수 있습니다.

29.

자른 제누아즈에 시럽을 바릅니다.

TIP__ 시럽은 볼에 설탕과 물을 담고 전자레인지에서 설탕을 녹여 식힌 후 골드럼을 섞어 사용합니다.

30.

보틀에 시럽을 바른 제누아즈를 넣습니다.

31.

고구마 무스를 보틀 1/3 정도 높이
까지 채웁니다.

32.

시럽을 바른 제누아즈를 올린 후 손
으로 살짝 눌러 평평하게 만들어줍
니다.

33.

고구마 무스를 보틀 높이 2cm 정
도가 남도록 채운 후 윗면을 평평하
게 정리합니다.

34.

뿔이 부드럽게 휘는 정도의 상태로
휘핑한 아이싱 크림을 채웁니다.

TIP__ 아이싱 크림은 볼에 생크림, 설
탕, 골드럼을 함께 넣고 뿔이 부드럽게 서는
80% 정도로 휘핑해 사용합니다.

35.

바닥에 살짝 쳐 윗면을 평평하게 만
듭니다.

36.

고구마 조림을 올립니다.

TIP__ 취향에 따라 검은깨로 장식해도 좋
습니다.

MUGWORT & INJEOLMI CAKE

쑥 & 인절미 케이크

한국적인 맛과 색감으로 완성한 케이크예요. 보들보들하고 촉촉한 쑥 카스텔라, 고소한 인절미 스노우 볼과 쑥 스노우 볼 모두 그냥 먹어도 충분히 맛있으니 보틀 케이크는 물론 다른 메뉴로도 활용해보세요.

분량

85 × 85 × 63mm 보틀(XYB-305) 6개

보관

쑥 카스텔라	냉동 2주	콩가루를 뿌리지 않은 케이크	냉장 2일, 냉동 2주
콩가루 크림	당일 사용		
쑥 크림	당일 사용	콩가루를 뿌린 완제품	냉장 2일

Ingredients

쑥 카스텔라
18cm 정사각형 틀 1대 분량

달걀	165g
노른자	20g
설탕	110g
물엿	30g
박력분	70g
쑥가루	20g
녹인 버터	20g
우유	40g

콩가루 크림

생크림	400g
마스카르포네 치즈	100g
설탕	60g
볶은 콩가루	62g

쑥 크림

생크림	400g
마스카르포네 치즈	100g
설탕	65g
쑥가루	40g

장식

볶은 콩가루
인절미 스노우 볼
쑥 스노우 볼

인절미 & 쑥 스노우 볼

버터	120g
설탕	50g
박력분	120g
아몬드가루	60g
볶은 콩가루A	30g
슈거파우더A	100g
볶은 콩가루B	100g
슈거파우더B	150g
쑥가루	30g

쑥 카스텔라

1.

볼에 달걀, 노른자, 설탕, 물엿을 넣고 가볍게 섞어줍니다.

2.

뜨거운 물이 담긴 볼 위에 올려 설탕이 모두 녹고 온도가 45℃ 정도가 될 때까지 섞어줍니다.

TIP＿ 손가락으로 달걀물을 만졌을 때 설탕의 입자가 느껴지지 않아야 합니다. 중탕물의 온도가 높으면 달걀이 익어버리니 온도를 확인해가며 작업합니다.

3.

설탕이 모두 녹으면 중탕 볼에서 내려 고속으로 휘핑합니다.

4.

뽀얗게 올라오면 저속으로 기포를 정리해줍니다.

5.

휘퍼로 반죽을 떨어뜨렸을 때 리본 모양으로 선명하게 그려지는 정도로 마무리합니다.

6.

체 친 박력분, 쑥가루를 넣고 날가루가 보이지 않을 때까지 섞어줍니다.

TIP＿ 주걱으로 볼 바닥에서부터 반죽을 들어 올리면서 섞어줍니다.

7.

녹인 버터와 우유(약 40℃)에 반죽한 주걱을 넣고 섞어줍니다.

TIP＿ 녹인 버터와 우유를 반죽 일부에 먼저 섞어 넣으면 달걀의 거품이 사그라드는 것을 막을 수 있습니다.

8.

남은 반죽에 넣고 빠르게, 골고루 섞어줍니다.

9.

유산지를 깐 18cm 정사각형 틀을 준비합니다.

TIP＿ 옆면의 수축을 방지하기 위해 사진처럼 아랫면에만 유산지를 깔고 굽는 것이 좋습니다. 틈 사이로 반죽이 새지 않도록 유산지를 틀 바깥면에 잘 고정합니다.

10.

반죽을 붓고 고르게 펼쳐줍니다.

11.

170℃로 예열된 오븐에 넣고 160℃로 온도를 낮춰 28분간 굽습니다.

TIP＿ 가운데 부분을 꼬치로 찔렀을 때 반죽이 묻어 나오지 않으면 다 익은 것입니다.

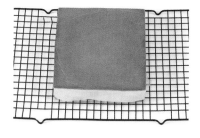

12.

구워져 나온 시트는 틀째 뒤집어 식힘망 위에서 식힙니다.

TIP＿ 시트가 충분히 식으면 유산지를 떼고, 칼을 틀에 밀착시킨 상태로 시트가 망가지지 않도록 주의하며 틀과 시트를 분리합니다.

콩가루 크림

13.

볼에 생크림, 마스카르포네 치즈, 설탕, 볶은 콩가루를 넣고 얼음물이 담긴 볼에 받쳐 저속으로 휘핑합니다.

TIP＿ 가루가 날리지 않도록 먼저 휘퍼 날로 가볍게 섞어준 후 휘핑하는 것이 좋습니다.

14.

부드러운 상태로 마무리합니다.

TIP＿ 가루의 양이 많은 편이라 반죽이 거칠어지기 쉬우므로 저속으로 중간중간 상태를 보면서 작업합니다.

쑥가루 크림

15.

볼에 생크림, 마스카르포네 치즈, 설탕, 쑥가루를 넣고 얼음물이 담긴 볼에 받쳐 저속으로 휘핑합니다.

TIP＿ 가루가 날리지 않도록 먼저 휘퍼 날로 가볍게 섞어준 후 휘핑하는 것이 좋습니다.

16.

부드러운 상태로 마무리합니다.

17.

볼에 실온에 둔 부드러운 상태의 버터를 넣고 가볍게 풀어줍니다.

18.

설탕을 넣고 섞어줍니다.

19.

체 친 박력분, 아몬드가루, 볶은 콩가루A를 넣고 주걱으로 가르듯 섞어줍니다.

20.

날가루가 보이지 않을 때까지 섞어줍니다.

21.

원하는 크기로 빚어줍니다.

TIP__ 여기에서는 8g, 4g으로 빚었습니다.

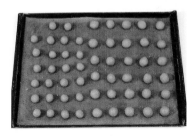

22.

180℃로 예열한 오븐에 넣고 170℃로 낮춰 16분 정도 굽습니다.

TIP__ 4g으로 작게 빚은 반죽은 12분 굽습니다.

23.

구워져 나온 스노우 볼은 충분히 식
힙니다.

24.

식힌 스노우 볼은 취향에 따라 인절미 가루(슈거파우더 100g + 볶은 콩가
루 100g)나 쑥가루(슈거파우더 150g + 쑥가루 30g)에 굴려 사용합니다.

TIP__ 두 가지 스노우 볼 모두 그냥 먹어도 충분히 맛있어 단품으로 판매해도 좋고, 다른
디저트의 장식으로 활용해도 좋습니다.

마무리

25.

1cm 각봉을 이용해 충분히 식힌 쑥
카스텔라를 1cm 높이로 자릅니다.

26.

충분히 식힌 쑥 카스텔라를 보틀로
12장 자릅니다.

TIP__ 자른 쑥 카스텔라는 밀봉해 냉동
보관하면서 편리하게 사용할 수 있습니다.

27.

보틀에 자른 쑥 카스텔라를 넣습니
다.

28.
쑥 크림을 보틀 1/3 높이 정도로 채웁니다.

29.
쑥 카스텔라를 올린 후 손으로 살짝 눌러 평평하게 맞춰줍니다.

30.
콩가루 크림을 채웁니다.

31.
윗면을 평평하게 정리합니다.

32.
콩가루를 뿌립니다.

33.
스노우 볼을 올립니다.

CHESTNUT & MATCHA MONTBLANC

밤 & 말차 몽블랑

밤과 말차의 조합은 언제나 맛있어요. 다른 보틀 케이크처럼 이 케이크도 숟가락
으로 보틀 바닥까지 깊숙이 떠 달지 않고 쌉싸래한 말차 가나슈 몽테와 달콤한
밤 크림을 한 번에 드시는 게 좋아요. 말차 시폰은 구운 후 생크림만 올려 단독으
로 먹어도 충분히 맛있어요.

분 량

가로 85 × 세로 85 × 높이 63mm 보틀(XYB-305) 6개

보 관

말차 시폰	냉동 2주	밤을 올리지 않은 케이크	냉장 2일, 냉동 2주
말차 가나슈 몽테	냉장 3일		
밤 크림	냉장 3일	밤을 올린 완제품	냉장 2일

Ingredients

말차 시폰
44 × 32cm 철판 1대 분량

노른자	80g
설탕A	36g
우유	80g
포도씨유	60g
흰자	160g
설탕B	60g
박력분	75g
베이킹파우더	4g
말차가루	12g

말차 가나슈 몽테

생크림A	300g
화이트초콜릿	142g
(VALRHONA OPALYS 33%)	
말차가루	27g
생크림B	300g

충전

다진 보늬밤	120g
통 보늬밤	24개

밤 크림

밤 페이스트	240g
다크럼 (BACARDI)	11g
생크림	80g

장식

통 보늬밤
식용 금박

말차 가나슈 몽테

1.

냄비에 생크림A를 넣고 가장자리 가 끓어오를 때까지 60~70℃ 정도 로 가열합니다.

2.

볼에 전자레인지에서 반 정도 녹여 둔 화이트초콜릿과 말차가루를 넣 고 섞어줍니다.

3.

2에 1을 조금씩 흘려가며 골고루 섞어줍니다.

4.

차가운 상태의 생크림B를 조금씩 넣어가며 섞어줍니다.

TIP＿ 당절임 밤이 많이 들어가는 레시피 이므로 말차 가나슈 몽테에는 설탕을 넣지 않고 쌉싸래한 맛을 살렸습니다. 취향에 따 라 설탕이나 연유를 추가해 더 달게 완성할 수도 있습니다.

5.

블렌더로 뭉친 가루가 없도록 유화 시켜줍니다.

6.

표면에 밀착 랩핑한 후 냉장고에서 6시간 ~ 하루 정도 휴지시켜줍니다.

TIP＿ 휴지 시간이 있기 때문에 하루 전 날 미리 만들어두는 것이 좋습니다.

말차 시폰

7.
볼에 노른자, 설탕A를 넣고 뽀얗게 올라올 때까지 고속으로 휘핑합니다.

8.
실온에 두어 미지근한 상태의 우유를 넣고 휘핑합니다.

9.
포도씨유를 넣고 휘핑합니다.

10.
다른 볼에 흰자를 넣고 설탕B를 두세 번 나눠 넣어가며 휘핑합니다.

11.
부드러운 상태로 마무리합니다.

12.
9에 11을 절반 정도 넣고 주걱으로 떠올리듯 가볍게 섞어줍니다.

13.

체 친 박력분, 베이킹파우더, 말차 가루를 넣고 날가루가 보이지 않을 때까지 섞어줍니다.

TIP __ 주걱으로 볼 바닥에서부터 반죽을 들어 올리면서 섞어줍니다.

14.

남은 **11**을 넣고 빠르게 섞어줍니다.

15.

유산지를 깐 철판에 반죽을 붓고 윗면을 평평하게 정리합니다.

TIP __ 반죽의 볼륨이 꺼지지 않도록 빠르게 작업합니다.

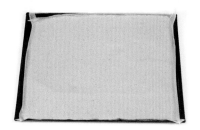

16.

170℃로 예열한 오븐에 넣고 160℃로 온도를 낮춰 12분간 굽습니다.

17.

구워져 나온 말차 시폰은 철판에서 빼내 유산지가 붙어 있는 상태로 식힘망 위에 올린 후 마르지 않게 유산지 한 장을 덮어 충분히 식힙니다.

밤 크림

18.
볼에 밤 페이스트, 다크럼을 넣고 덩어리 없이 풀어줍니다.

19.
다른 볼에 생크림을 넣고 뿔이 부드럽게 서는 상태로 휘핑합니다.

20.
18에 19를 두세 번 나눠 넣어가며 섞어줍니다.

21.
깍지의 모양대로 선명하게 파이핑 될 정도의 단단한 상태로 마무리합니다.

마무리

22.

충분히 식힌 말차 시폰을 보틀로
12장 자릅니다.

TIP__ 자른 말차 시폰은 밀봉해 냉동 보
관하면서 편리하게 사용할 수 있습니다.

23.

보틀에 자른 말차 시폰을 넣습니다.

24.

반으로 자른 당적밤을 보틀 가장자
리에 둘러줍니다.

TIP__ 당적밤을 보틀 벽면에 잘 밀착시켜
야 크림이 채워진 후 깔끔하게 완성됩니다.

25.

냉장고에서 휴지시킨 말차 가나슈 몽테를 부드러운 상태로 휘핑합니다.

TIP__ 말차 가나슈 몽테는 금방 거칠어질 수 있으므로 저속으로 천천히 휘핑하면서 상태
를 살펴가며 작업합니다.

26.

보틀에 말차 가나슈 몽테를 보틀 높
이 1/2 정도로 채웁니다.

27.

적당한 크기로 다진 당적밤 20g을
올립니다.

28.

말차 가나슈 몽테를 보틀 높이
1.5cm 정도를 남기고 채웁니다.

29.

말차 시폰을 올린 후 손으로 가볍게
눌러 평평하게 만듭니다.

30.

895번 깍지를 이용해 밤 크림을 파
이핑합니다.

31.

밤 크림을 한 번 더 파이핑합니다.

TIP＿ 총 두 겹으로 파이핑합니다.

32.

보늬밤 한 알을 올립니다.

TIP＿ 취향에 따라 식용 금박을 올려도
좋습니다.

COCONUT &
MANGO CAKE

코코넛 & 망고 케이크

망고의 진한 맛과 코코넛의 고소함, 그리고 패션프루트의 쨍한 상큼함이 조화로운 케이크예요. 무더운 여름에 특히 잘 어울리는 디저트랍니다.

분량

가로 85 × 세로 85 × 높이 63mm 보틀(XYB-305) 6개

보관

코코넛아몬드 비스퀴	냉동 2주	생망고를 올리지 않은 케이크	냉장 2일, 냉동 2주
패션프루트 캐러멜	냉장 5일, 냉동 2주		
망고 크림	당일 사용	생망고를 올린 완제품	냉장 1일

Ingredients

코코넛 아몬드 비스퀴
46 × 34cm 철판 1대 분량

아몬드가루	100g
달걀	220g
설탕A	35g
박력분	40g
슈거파우더	45g
코코넛가루	20g
흰자	120g
설탕B	32g
녹인 버터	32g
토핑용 코코넛가루	적당량

패션프루트 캐러멜

패션푸르트 퓌레	90g
망고 퓌레	60g
물엿	8g
설탕	40g
버터	50g

망고 크림

판젤라틴	7g
망고 퓌레	432g
설탕	86g
레몬즙	21g
생크림	216g

장식

망고
식용 허브
라임 제스트

코코넛 아몬드 비스퀴

1.
볼에 체 친 아몬드가루, 달걀, 설탕A
를 넣고 거품이 뽀얗게 올라올 때까
지 고속으로 충분히 휘핑합니다.

2.
체 친 박력분, 슈거파우더, 코코넛
가루를 넣고 날가루가 보이지 않을
때까지 휘핑합니다.

3.
다른 볼에 흰자를 넣고 설탕B를 두
세 번 나눠 넣어가며 고속으로 휘핑
합니다.

4.
머랭의 뿔이 짧게 올라오는 단단한
상태가 되면 마무리합니다.

5.
2에 4를 두 번에 나눠 섞어줍니다.

6.
녹인 버터(약 40℃)에 반죽 한 주걱
을 넣고 섞어줍니다.

TIP__ 녹인 버터를 반죽 일부에 먼저 섞
어 넣으면 달걀의 거품이 사그라드는 것을
막을 수 있습니다.

7.
남은 반죽에 넣고 재빠르게 섞어줍니다.

8.
유산지를 깐 철판에 반죽을 붓고 윗면을 평평하게 정리합니다.

9.
토핑용 코코넛가루를 골고루 뿌립니다.

10.
190℃로 예열된 오븐에 넣고 180℃로 낮춰 10분간 굽습니다.

11.
구워져 나온 코코넛아몬드 비스퀴는 철판에서 빼내 유산지가 붙어 있는 상태로 식힘망에 올린 후 표면이 마르지 않도록 유산지를 덮어 충분히 식힙니다.

패션프루트 캐러멜

12.

볼에 패션프루트 퓌레, 망고 퓌레, 물엿을 넣고 전자레인지에서 따뜻한 상태로 데워줍니다.

13.

냄비에 설탕을 조금씩 나눠 넣어가며 가열해 캐러멜화시켜줍니다.

TIP_ 냄비를 돌려가며 골고루 캐러멜화 되도록 합니다.

14.

전체적으로 갈색빛이 돌면 **12**를 조금씩 나눠 넣어가며 섞어줍니다.

TIP_ 매우 뜨거운 상태이니 주의하며 작업합니다.

15.

차가운 상태의 버터가 담긴 깊은 용기에 넣고 블렌더로 유화시켜줍니다.

16.

표면에 밀착 랩핑해 식힙니다.

망고 크림

17.

판젤라틴을 차가운 물에 불려 준비
합니다.

TIP__ 판젤라틴 7g을 불린 무게가 42g
이 되도록 중량을 맞춰 사용합니다.
여름철에는 얼음물에 불립니다.

18.

냄비에 망고 퓌레, 설탕, 레몬즙을
넣고 설탕이 녹을 때까지 가열합니
다.

19.

불린 판젤라틴을 넣고 녹을 때까지
가열합니다.

20.

얼음물이 담긴 볼에 받쳐 30℃ 이
하의 온도로 식힙니다.

21.

부드러운 상태로 휘핑한 생크림 절
반을 넣고 섞어줍니다.

22.

남은 생크림을 넣고 섞어줍니다.

마무리

23.

충분히 식힌 코코넛아몬드 비스퀴
를 보틀로 12장 자릅니다.

TIP__ 자른 코코넛아몬드 비스퀴는 밀봉
해 냉동 보관하면서 편리하게 사용할 수 있
습니다.

24.

보틀에 자른 코코넛아몬드 비스퀴
를 넣습니다.

25.

망고 크림을 보틀 1/3 높이 정도로
채웁니다.

26.

코코넛아몬드 비스퀴를 올린 후 손
으로 살짝 눌러 평평하게 맞춰줍
니다.

27.

망고 크림을 보틀 높이 1cm 정도
남기고 채웁니다.

28.

보틀을 바닥에 살짝 쳐 윗면을 평평
하게 정리합니다.

29.

냉동실에서 1시간 이상 굳힙니다.

30.

패션프루트 캐러멜을 35g씩 채웁
니다.

31.

적당한 크기로 자른 망고를 올립니
다.

TIP__ 식용 허브로 장식해도 좋습니다.

BOTTLE

보틀 음료

BEVERAGE

STRAWBERRY MILK

어릴 때 슈퍼에서 파는 딸기 우유를 정말 좋아했어요. 생딸기로 만드는
수제 딸기 우유는 얼마나 더 맛있을까요? 딸기청과 우유, 생딸기를
잘 섞어 드셔보세요. 입안 가득 달콤함과 신선함이 퍼질 거예요.
아이들에게도 인기 만점이에요.

딸기 우유

🫙 분 량		🥤 재 료	
너비 85 × 높이 136mm 보틀		딸기	450g
(납작 페트 350ml) 4개		설탕	150g
		다진 딸기	200g
❄️ 보 관		우유	약 900g
냉장 2일			

How to make

1. 볼에 딸기와 설탕을 넣고 블렌더로 곱게 갈아 딸기청을 만듭니다.

2. 냄비에 옮겨 약불에서 설탕이 모두 녹을 때까지 가열한 후 충분히 식힙니다.

3. 보틀에 140g씩 담습니다.

4. 우유를 담습니다.

   TIP__ 딸기청과 우유가 섞이면 딸기의 산과 우유의 단백질이 만나 요거트처럼 걸쭉해집니다. 보틀을 기울여 우유를 조심스럽게 담아 딸기청과 섞이지 않도록 작업합니다.

5. 다진 딸기를 50g씩 넣습니다.

6. 실링지를 붙이고 뚜껑을 닫습니다.

   TIP__ 딸기청의 양은 취향에 따라 조절할 수 있습니다. 마시기 직전 흔들어 섞어줍니다.

복숭아 티라미수에 들어가는 복숭아 콩포트를 만들 때 남는 시럽을
어떻게 활용하면 좋을지 고민하다가 개발하게 된 음료예요.
천도복숭아 뿐만 아니라 아삭한 백도를 사용해도 참 맛있어요.

PEACH
MILK

복숭아 우유

🫙 **분량**

너비 85 × 높이 136mm 보틀
(납작 페트 350ml) 4개

❄️ **보관**

냉장 2일

🥤 **재료**

복숭아 콩포트 시럽(104p)	480g
복숭아 콩포트 과육(104p)	80g
작게 자른 복숭아	200g
우유	약 900g

How to make

1. 104p 13~17번 과정까지 작업해 복숭아 콩포트를 만든 후 체에 거릅니다.

2. 걸러진 복숭아 시럽 480g과 복숭아 콩포트 과육 80g을 블렌더로 갈아 보틀에 140g씩 담습니다.

3. 우유를 담습니다.

   TIP__ 복숭아청과 우유가 섞이면 복숭아의 산과 우유의 단백질이 만나 요거트처럼 걸쭉해집니다. 보틀을 기울여 우유를 조심스럽게 담아 복숭아청과 섞이지 않도록 작업합니다.

4. 작게 자른 복숭아를 50g씩 넣습니다.

5. 실링지를 붙이고 뚜껑을 닫습니다.

   TIP__ 복숭아청의 양은 취향에 따라 조절할 수 있습니다. 마시기 직전 흔들어 섞어줍니다.

제가 정말 좋아하고 자주 마시는 밀크티예요. 재료를 넣고 섞은 후 기다리기만 하면 완성되는
간단한 음료라 누구나 쉽게 만들 수 있어요. 포인트는 다시백으로 작은 찻잎 가루까지 걸러
깔끔하게 만드는 것이에요. 얼그레이, 아쌈, 다즐링 등 좋아하는 홍차라면 어떤 것이든 사용할 수 있고,
두 가지 이상의 종류를 블렌딩해 나만의 밀크티를 완성할 수도 있어요.

MILK TEA

밀크티

 분량

너비 85 × 높이 136mm 보틀
(납작 페트 350ml) 4개

❄ **보관**

냉장 3일

 재료

우유	1800g
설탕	100g
천일염	1g
얼그레이 잎	80g

How to make

1. 볼에 우유, 설탕, 천일염, 얼그레이 잎을 넣고 가볍게 섞어줍니다.

2. 볼 입구를 랩핑한 후 냉장고에서 24시간 이상 냉침합니다.

3. 체로 거릅니다.

4. 다시백으로 다시 한 번 걸러준 후 보틀에 담아 실링지를 붙이고 뚜껑을 닫습니다.

여기에서는 요크셔 골드
(TAYLORS of HARROGATE
YORKSHIRE gold) 홍차를
사용했습니다.

정성 가득 맛있는 디저트가 가득한
카페 장쌤으로 오세요!

카페 장쌤 홍대점

주소 : 서울특별시 마포구 와우산로29마길 5 1층

영업 시간 : 정오 ~ 오후 9시

휴무 : 정기 휴무일 없음

카페 장쌤 일산마두점

주소 : 경기도 고양시 일산동구 경의로 403-112 1층

영업 시간 : 오전 11시 ~ 오후 7시

휴무 : 매주 수요일

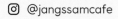 @jangssamcafe

CAFEJANGSSAM'S BEST DESSERT SERIES ①, ②

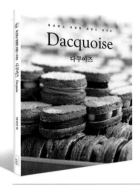

폭신하고 달콤한 프랑스 디저트

다쿠아즈

디저트 애호가들이 사랑하는 카페장쌤의 No. 1 디저트이자, 아뜰리에 제이 인기 베이킹 클래스인 '다쿠아즈'의 인기 레시피를 담았습니다. 폭신하고 촉촉한 시트 20가지, 달콤하고 고소한 크림 23가지, 식감이 살아 있는 다양한 필링과 토핑 22가지를 조합해 나만의 레시피로 다양하게 응용할 수 있습니다. 또한 인기 베이킹 클래스의 모든 노하우를 담아 쉽고 자세하고 친절하게 다쿠아즈에 대한 모든 것을 알려줍니다. 국내 최초 다쿠아즈 단일 레시피 북인 이 책은 디저트를 좋아하는 베이킹 초보자부터 디저트 메뉴를 구상하는 카페 창업자 모두에게 유용한 도서가 될 것입니다.

168p, 16,000원

Contents

장쌤의 다쿠아즈 레시피

01 진한 말차 다쿠아즈
02 얼그레이 다쿠아즈
03 바닐라 다쿠아즈
04 진저레몬 다쿠아즈
05 캐러멜헤이즐넛 다쿠아즈
06 오레오까망베르 다쿠아즈
07 망고치즈 다쿠아즈

08 쑥인절미 다쿠아즈
09 더블초콜릿 다쿠아즈
10 군고구마 다쿠아즈
11 시나몬단호박 다쿠아즈
12 카페라테 다쿠아즈
13 둘깨 다쿠아즈
14 카야코넛 다쿠아즈

15 체리 다쿠아즈
16 애플파이 다쿠아즈
17 트리플베리 다쿠아즈
18 민트초코 다쿠아즈
19 아몬드크럼블 다쿠아즈
20 티라미수 다쿠아즈

다쿠아즈 케이크

01 오렌지쇼콜라
02 피스타치오딸기 미니케이크
03 래밍턴
04 몽블랑
05 당근케이크

파운드케이크

파운드케이크는 밀가루, 버터, 달걀, 설탕 4가지 재료로 소박하게 만들기도 좋고, 재료나 장식을 더해 화려하게 멋을 내기에도 좋은 디저트입니다. 또한 많은 도구 없이도 쉽게 만들 수 있고, 작은 카페에서 차와 함께 서빙하기에도 좋으며, 특별한 날 파티 케이크로도 손색이 없습니다. 다양한 틀을 사용하는 법부터 반죽을 담고 정리하는 법, 완성된 케이크를 보관하는 법 등 파운드케이크에 대한 기본 이론과 함께 파운드케이크를 슈거배터법(공립법, 별립법)과 플라워배터법으로 만들어보며 기본 제법을 익힐 수 있도록 쉽게 설명해 베이킹을 시작하는 초보자도 어렵지 않게 도전할 수 있습니다.

196p, 19,000원

Contents

3가지 기법으로 만드는 기본 파운드케이크

01 슈거배터법(공립법), 슈거배터법(별립법)
02 플라워배터법

3가지 기법을 응용한 파운드케이크

03 초코마블 파운드케이크
04 단호박치즈 파운드케이크
05 코코패션 파운드케이크
06 쑥콩 파운드케이크

녹인 버터로 만드는 파운드케이크

07 오렌지 파운드케이크
08 에스프레소 파운드케이크
09 무화과라벤더 파운드케이크
10 레몬바질 파운드케이크

머랭으로 만드는 파운드케이크

11 애플캐러멜 파운드케이크
12 밤말차 파운드케이크
13 피스타치오체리 파운드케이크
14 오레오까망베르 파운드케이크

오일로 만드는 파운드케이크

15 당근크림치즈 파운드케이크
16 흑임자 파운드케이크
17 올리브콘 파운드케이크

특별한 날의 파운드케이크

18 부쉬드노엘 파운드케이크
19 생과일 파운드케이크
20 카시스몽블랑 파운드케이크
21 호두 파운드케이크
22 레드벨벳 파운드케이크

* 카페장쌤 베스트 디저트 시리즈 하드 커버 컬렉션은 '백두도서쇼핑몰(www.baek2.kr)'에서 구입하실 수 있습니다.